L'EXPRESS 1
Cahier de grammaire

Julie Boisvert
Jacques Lecavalier

Montréal Toronto Boston Columbus Indianapolis New York San Francisco Upper Saddle River
Amsterdam Le Cap Dubaï Londres Madrid Milan Munich Paris
Delhi México São Paulo Sydney Hong-Kong Séoul Singapour Taipei Tōkyō

Directrice à l'édition
Suzanne Berthiaume
Chargée de projet et réviseure linguistique
Marie Sylvie Legault
Correcteurs d'épreuves
Pierre-Yves L'Heureux
Directrice artistique
Hélène Cousineau
Coordonnatrice aux réalisations graphiques
Sylvie Piotte
Couverture
Sylvie Morissette
Conception graphique
Frédérique Bouvier
Édition électronique
2NSB Design graphique

Sources iconographiques

Shutterstock: p.1 bas: N. Pirieva; p.1 haut, 15 haut: Dmitro2009; p.1 haut, 129 haut: WDG Photo; p.2: W. Nero; p.3: A. Lucas; p.4: J. Maehl; p.5: E, Mill; p.6: W. Aston; p.7: V. Krasyuk; p.8: M. Dryfhout; p.9 bas: M. Topchii; p.9 centre: E. Isselée; p.10: Kapu; p.11: D. Gilbey Photography; p.12: S. Foerster; p.13: J. Zopoth-Lipiejko; p.14: R. M. Bolton; p.15: Oculo; p.16: V. Vasili; p.17 haut, 29 haut: B. Ciric; p.18: O. Dmirty; p.19 bas: J. Becker; p.19 haut: Momentum; p.20: A. Kolomietz; p.21: M. Techaphan; p.22: magicinfoto; p.23: mobil11; p.24: R, Miramontez; p.25: Serinus; p.26: R. Ahrens; p.27: vladislav_studio; p.29: Shestakoff; p.30: L. Pavel; p.31 bas: F. Eliasson; p.31 haut, 43 haut, 51 haut, 63 haut: bierchen; p.32: D. J. Bradley; p.33: T. Pingel; p.34: Darrenp; p.35: Lafoto; p.36: K. Schulze; p.37: Alex0001; p.38: Y. Velchev; p.39: Pi-Lens; p.40: R. Cichawa; p.42: I. Grodzka; p.43: I. Kisselev; p.45: 1000 Words; p.46: Wutthichai; p.47: K. Mironov; p.48: Danshutter; p.49: j. fekete; p.50: Michaelstockfoto; p.51: A. Armyagov; p.53: D. Roger; p.54: Dé desmarais; p.55: Oleg_Z; p.56: G. Johnson; p.57: G. Shannon; p.58: Larsek; p.59: C. Kovarik; p.60: paiko72; p.61: V. Burdiak; p.62: s. zuerlein; p.63: Z. Pereira de Mata; p.65 bas: A. Foltin; p.65 haut, 73 haut: A. Brand; p.66: J. Leonard; p.67: E. Elisseeva; p.68: K. Geiser; p.69: C. Haggerty; p.70: D. Pruter; p.71: 2009fotofriends; p.72: N. Koren; p.73 bas: Yco; p.73 centre: Pixeldom; p.75 bas: A. Novozilov; p.75 haut, 81 haut: worradirek; p.76: V. Kuntsman; p.77: ArtKolo; p.79: R. J. Daveant; p.80: VadiCo; p.81: Aluonushka; p.81: R. Foeger; p.82: O. Utlyakova; p.83 bas: J. Henning-Buchholz; p.83 haut: Jack Q; p.84: Timmary; p.85: A, Nantel; p.86: D. Borodin; p.87: M. Scott-Parkin; p.88: S. Collender; p.89: M. Harrison; p.90: M. Pieraccini; p.91: Foto011; p.92: TOSP Photo; p.93 centre: V. Potapova; p.95 centre: N. Niklz; p.95 haut, 107 haut: J. Roach; p.96: Idem 2 plus haut; p.97: far8; p.98: W. Goldswain; p.99: JCVStock; p.100: D. Simonsen; p.101: T. Olson; p.102: p.Vlad; p.104: C. Howey; p.105: K. Levit; p.106: Ionia; p.107: O. Kozlov; p.109 haut, 129 haut: WDG Photo; p.109 bas: ifong; p.110: cameilia; p.111: sextoacto; p.112: B. A. Jackson; p.113: vovan; p.114: Artens; p.115: beltsazar; p.116: S. Frey; p.117: surahbi25; p.118: C. Richards; p.119: C. Caetano; p.120: A. Balazh; p.121: LisaA; p.122: L.-A. Thompson; p.123 bas: kongsky; p.123: prism68; p.124: piotrwzk; p.125: prism68; p.126: Goodluz; p.127: sarsmis; p.128: S. Cunningham; p.129 centre: B. Lyjak; p.131 centre: A. Balaraman; p.131 haut, 137 haut: buradaki; p.132: J. and B. Grower; p.133: vicspacewalker; p.134: M. Brandt; p.135: iofoto; p.136: O. Sved; p.137: p.Ustoev; p.139 bas: G. Andrushko; p.139 haut, 151 haut: N. Cousland; p.141: PRILL Mediendesign und Fotografie; p.143: S. Inglis; p.144: p.Kmeto; p.145: S. Cunningham; p.146 bas: deb22; p.146 centre: eyespeak; p.146 haut: auremar; p.147: yabu; p.148 haut: A. Shchekalev; p.148 bas: M. Tupikov; p.149 haut droit: gori910; p.149 bas: yabu; p.149 centre droit: Chris 102; p.149 centre gauche: Clover; p.150: B. Busovicki; p.151 centre: Roberaten; p.153 centre: R. Gino Santa Maria; p.153 haut, 159 haut: r. costa morena; p.154: M. Oleksandr; p.155: Zurijeta; p.156: I. Bulgarin; p.157: L. Cherniak; p.158: R. Ivantsov; p.159: c. taylor

Membre du groupe Pearson Education depuis 1989

1611, boul. Crémazie Est, 10e étage
Montréal (Québec) H2M 2P2
CANADA
Téléphone: 514 334-2690
Télécopieur: 514 334-4720
info@pearsonerpi.com
pearsonerpi.com

Dépôt légal – Bibliothèque et Archives nationales du Québec, 2012
Dépôt légal – Bibliothèque et Archives Canada, 2012

Imprimé au Canada 567890 HLN 18 17 16 15
ISBN 978-2-7613-4574-3 12443 ABCD OF10

Table des matières

Présentation du cahier

Le cahier *L'express* est construit sur le modèle de la grammaire de référence *L'express grammatical pour le secondaire*. Il comprend 11 sections qui se subdivisent en sous-sections.

Chacune des sections est indépendante des autres. Il est donc possible de les traiter dans n'importe quel ordre. La plupart des sous-sections sont également permutables. Cependant, à l'intérieur d'une sous-section, les activités doivent être faites les unes à la suite des autres en raison de la gradation du niveau de difficulté.

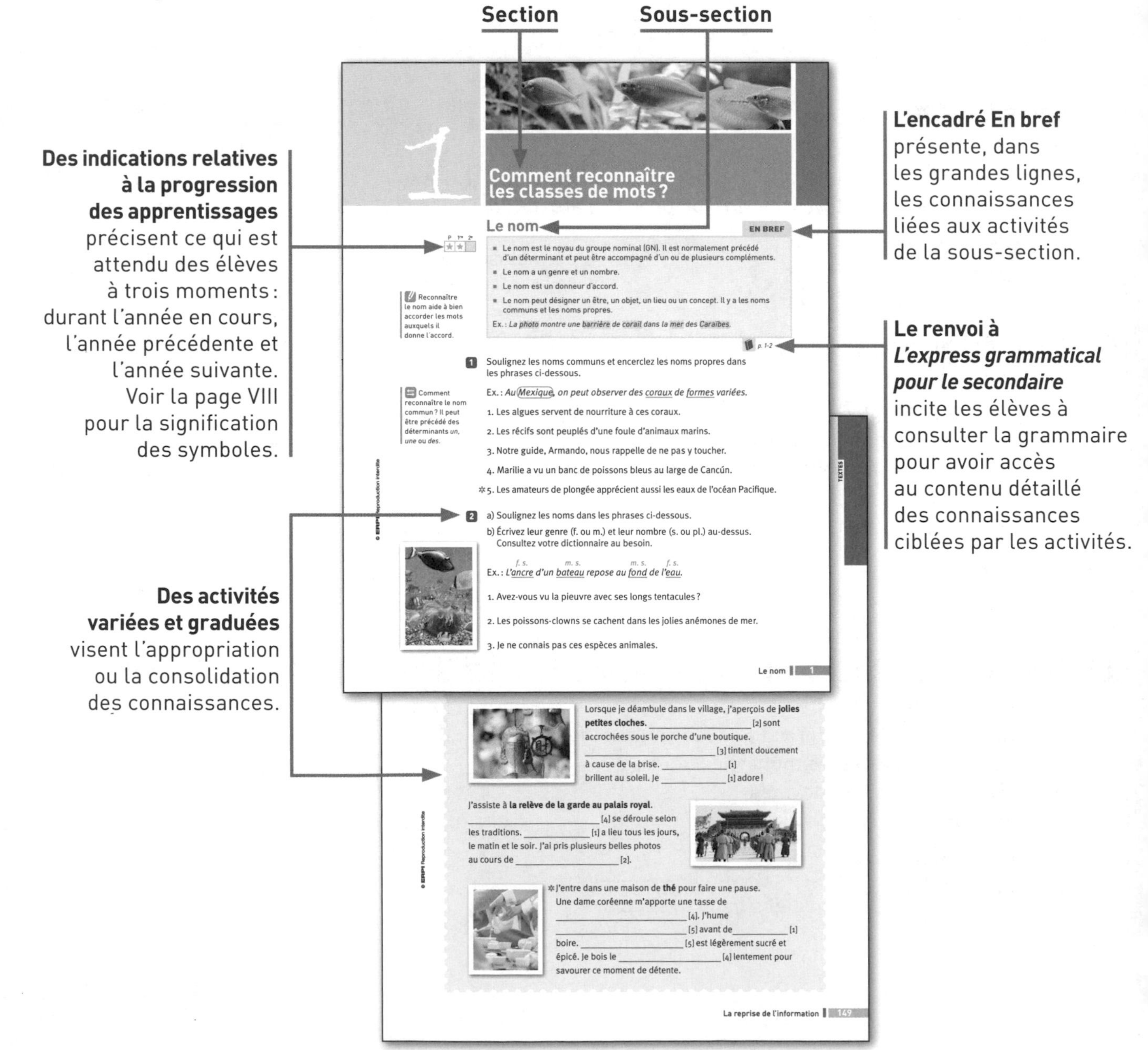

Des indications relatives à la progression des apprentissages précisent ce qui est attendu des élèves à trois moments : durant l'année en cours, l'année précédente et l'année suivante. Voir la page VIII pour la signification des symboles.

Des activités variées et graduées visent l'appropriation ou la consolidation des connaissances.

L'encadré En bref présente, dans les grandes lignes, les connaissances liées aux activités de la sous-section.

Le renvoi à *L'express grammatical pour le secondaire* incite les élèves à consulter la grammaire pour avoir accès au contenu détaillé des connaissances ciblées par les activités.

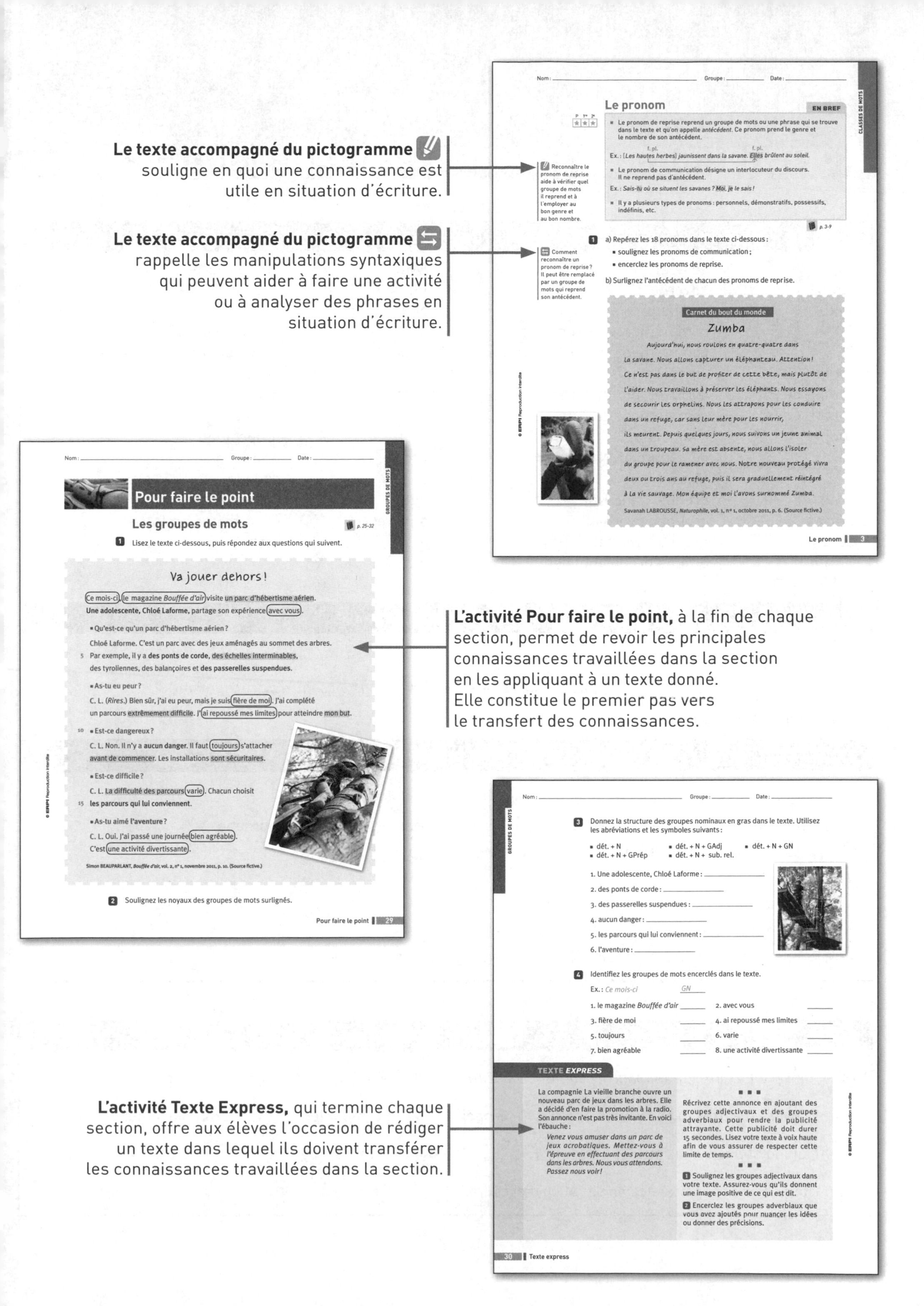

Nom : Groupe : Date :

Le pronom

EN BREF

- Le pronom de reprise reprend un groupe de mots ou une phrase qui se trouve dans le texte et qu'on appelle *antécédent*. Ce pronom prend le genre et le nombre de son antécédent.

Ex. : [*Les hautes herbes*] *jaunissent dans la savane.* ***Elles*** *brûlent au soleil.*

- Le pronom de communication désigne un interlocuteur du discours. Il ne reprend pas d'antécédent.

Ex. : *Sais-tu où se situent les savanes ? Moi, je le sais !*

- Il y a plusieurs types de pronoms : personnels, démonstratifs, possessifs, indéfinis, etc.

p. 3-9

Reconnaître le pronom de reprise aide à vérifier quel groupe de mots il reprend et à l'employer au bon genre et au bon nombre.

Le texte accompagné du pictogramme souligne en quoi une connaissance est utile en situation d'écriture.

Comment reconnaître un pronom de reprise ? Il peut être remplacé par un groupe de mots qui reprend son antécédent.

Le texte accompagné du pictogramme rappelle les manipulations syntaxiques qui peuvent aider à faire une activité ou à analyser des phrases en situation d'écriture.

1 a) Repérez les 18 pronoms dans le texte ci-dessous :
- soulignez les pronoms de communication ;
- encerclez les pronoms de reprise.

b) Surlignez l'antécédent de chacun des pronoms de reprise.

Carnet du bout du monde

Zumba

Aujourd'hui, nous roulons en quatre-quatre dans la savane. Nous allons capturer un éléphanteau. Attention ! Ce n'est pas dans le but de profiter de cette bête, mais plutôt de l'aider. Nous travaillons à préserver les éléphants. Nous essayons de secourir les orphelins. Nous les attrapons pour les conduire dans un refuge, car sans leur mère pour les nourrir, ils meurent. Depuis quelques jours, nous suivons un jeune animal dans un troupeau. Sa mère est absente, nous allons l'isoler du groupe pour le ramener avec nous. Notre nouveau protégé vivra deux ou trois ans au refuge, puis il sera graduellement réintégré à la vie sauvage. Mon équipe et moi l'avons surnommé Zumba.

Savanah LABROUSSE, *Naturophile*, vol. 1, n° 1, octobre 2011, p. 6. (Source fictive.)

Le pronom 3

Nom : Groupe : Date :

Pour faire le point

Les groupes de mots

p. 25-32

1 Lisez le texte ci-dessous, puis répondez aux questions qui suivent.

Va jouer dehors !

Ce mois-ci, le magazine *Bouffée d'air* visite un parc d'hébertisme aérien. **Une adolescente, Chloé Laforme,** partage son expérience avec vous.

- Qu'est-ce qu'un parc d'hébertisme aérien ?

Chloé Laforme. C'est un parc avec des jeux aménagés au sommet des arbres. Par exemple, il y a **des ponts de corde**, des échelles interminables, des tyroliennes, des balançoires et **des passerelles suspendues.**

- As-tu eu peur ?

C. L. (*Rires.*) Bien sûr, j'ai eu peur, mais je suis fière de moi. J'ai complété un parcours extrêmement difficile. J'ai repoussé mes limites pour atteindre mon but.

- Est-ce dangereux ?

C. L. Non. Il n'y a **aucun danger.** Il faut toujours s'attacher avant de commencer. Les installations sont sécuritaires.

- Est-ce difficile ?

C. L. La difficulté des parcours varie. Chacun choisit **les parcours qui lui conviennent.**

- As-tu aimé **l'aventure** ?

C. L. Oui. J'ai passé une journée bien agréable. C'est une activité divertissante.

Simon BEAUPARLANT, *Bouffée d'air*, vol. 2, n° 1, novembre 2011, p. 10. (Source fictive.)

2 Soulignez les noyaux des groupes de mots surlignés.

Pour faire le point 29

L'activité Pour faire le point, à la fin de chaque section, permet de revoir les principales connaissances travaillées dans la section en les appliquant à un texte donné. Elle constitue le premier pas vers le transfert des connaissances.

Nom : Groupe : Date :

3 Donnez la structure des groupes nominaux en gras dans le texte. Utilisez les abréviations et les symboles suivants :

- dét. + N
- dét. + N + GAdj
- dét. + N + GN
- dét. + N + GPrép
- dét. + N + sub. rel.

1. Une adolescente, Chloé Laforme : ______
2. des ponts de corde : ______
3. des passerelles suspendues : ______
4. aucun danger : ______
5. les parcours qui lui conviennent : ______
6. l'aventure : ______

4 Identifiez les groupes de mots encerclés dans le texte.

Ex. : *Ce mois-ci* *GN*

1. le magazine *Bouffée d'air* ______
2. avec vous ______
3. fière de moi ______
4. ai repoussé mes limites ______
5. toujours ______
6. varie ______
7. bien agréable ______
8. une activité divertissante ______

TEXTE *EXPRESS*

La compagnie La vieille branche ouvre un nouveau parc de jeux dans les arbres. Elle a décidé d'en faire la promotion à la radio. Son annonce n'est pas très invitante. En voici l'ébauche :

Venez vous amuser dans un parc de jeux acrobatiques. Mettez-vous à l'épreuve en effectuant des parcours dans les arbres. Nous vous attendons. Passez nous voir !

Récrivez cette annonce en ajoutant des groupes adjectivaux et des groupes adverbiaux pour rendre la publicité attrayante. Cette publicité doit durer 15 secondes. Lisez votre texte à voix haute afin de vous assurer de respecter cette limite de temps.

1 Soulignez les groupes adjectivaux dans votre texte. Assurez-vous qu'ils donnent une image positive de ce qui est dit.

2 Encerclez les groupes adverbiaux que vous avez ajoutés pour nuancer les idées ou donner des précisions.

30 Texte express

L'activité Texte Express, qui termine chaque section, offre aux élèves l'occasion de rédiger un texte dans lequel ils doivent transférer les connaissances travaillées dans la section.

Abréviations, symboles et pictogrammes

LISTE DES ABRÉVIATIONS ET DES SYMBOLES

adj.	adjectif
adv.	adverbe
aux.	auxiliaire
CD	complément direct du verbe
CI	complément indirect du verbe
compl.	complément
compl. de P	complément de phrase
compl. du N	complément du nom
conj.	conjonction
dét.	déterminant
f.	féminin
GAdj	groupe adjectival
GAdv	groupe adverbial
GN	groupe nominal
GPrép	groupe prépositionnel
GV	groupe verbal
m.	masculin
N	nom
p. p.	participe passé
p. prés.	participe présent
P	phrase
pers.	personne
pl.	pluriel
prép.	préposition
pron.	pronom
s.	singulier
sub.	subordonnée
sub. rel.	subordonnée relative
V	verbe

CONSTITUANTS DE LA PHRASE

sujet

prédicat

complément de phrase

Les spécialistes surveillent les volcans au centre de recherche.

PROGRESSION DES APPRENTISSAGES

→ L'élève apprend à reconnaître le phénomène.

★ L'élève fait un apprentissage systématique des connaissances liées au phénomène.

▢ L'élève réutilise adéquatement les connaissances de façon autonome.

P Primaire.

1re 1re secondaire.

2e 2e secondaire.

PA Précision quant à la progression des apprentissages (*dans le corrigé*).

LISTE DES PICTOGRAMMES

- Renvoi à *L'express grammatical pour le secondaire.*
- ▸▸ Renvoi à d'autres pages du cahier (*dans le corrigé*).
- ⇆ Manipulations syntaxiques.
- Utilité d'une connaissance en situation d'écriture.
- ! Mise en garde dans une consigne.
- ⊘ Formulation fautive ou remplacement incorrect.
- ERREURS! Erreurs à corriger.
- ✲ Défi.

1 Comment reconnaître les classes de mots ?

Le nom

P 1re 2e ★★

EN BREF

- Le nom est le noyau du groupe nominal (GN). Il est normalement précédé d'un déterminant et peut être accompagné d'un ou de plusieurs compléments.
- Le nom a un genre et un nombre.
- Le nom est un donneur d'accord.
- Le nom peut désigner un être, un objet, un lieu ou un concept. Il y a les noms communs et les noms propres.

Ex. : *La photo montre une barrière de corail dans la mer des Caraïbes.*

Reconnaître le nom aide à bien accorder les mots auxquels il donne l'accord.

p. 1-2

1 Soulignez les noms communs et encerclez les noms propres dans les phrases ci-dessous.

Comment reconnaître le nom commun ? Il peut être précédé des déterminants *un*, *une* ou *des*.

Ex. : *Au Mexique, on peut observer des coraux de formes variées.*

1. Les algues servent de nourriture à ces coraux.
2. Les récifs sont peuplés d'une foule d'animaux marins.
3. Notre guide, Armando, nous rappelle de ne pas y toucher.
4. Marilie a vu un banc de poissons bleus au large de Cancún.
5. ✲ Les amateurs de plongée apprécient aussi les eaux de l'océan Pacifique.

2 a) Soulignez les noms dans les phrases ci-dessous.

b) Écrivez leur genre (f. ou m.) et leur nombre (s. ou pl.) au-dessus. Consultez votre dictionnaire au besoin.

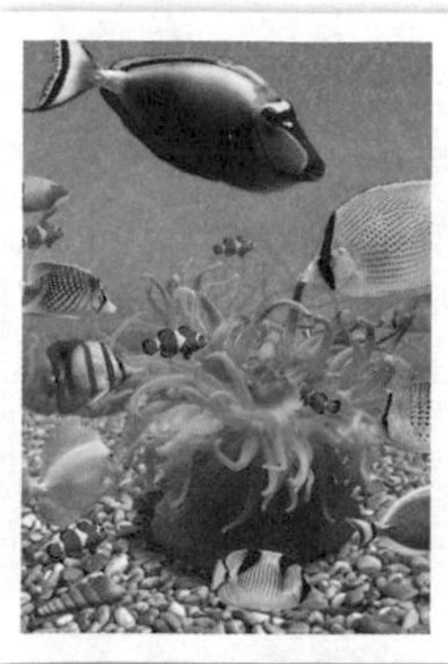

Ex. : *L'ancre* (f. s.) *d'un bateau* (m. s.) *repose au fond* (m. s.) *de l'eau* (f. s.).

1. Avez-vous vu la pieuvre avec ses longs tentacules ?
2. Les poissons-clowns se cachent dans les jolies anémones de mer.
3. Je ne connais pas ces espèces animales.

Nom : ______________________ Groupe : __________ Date : __________

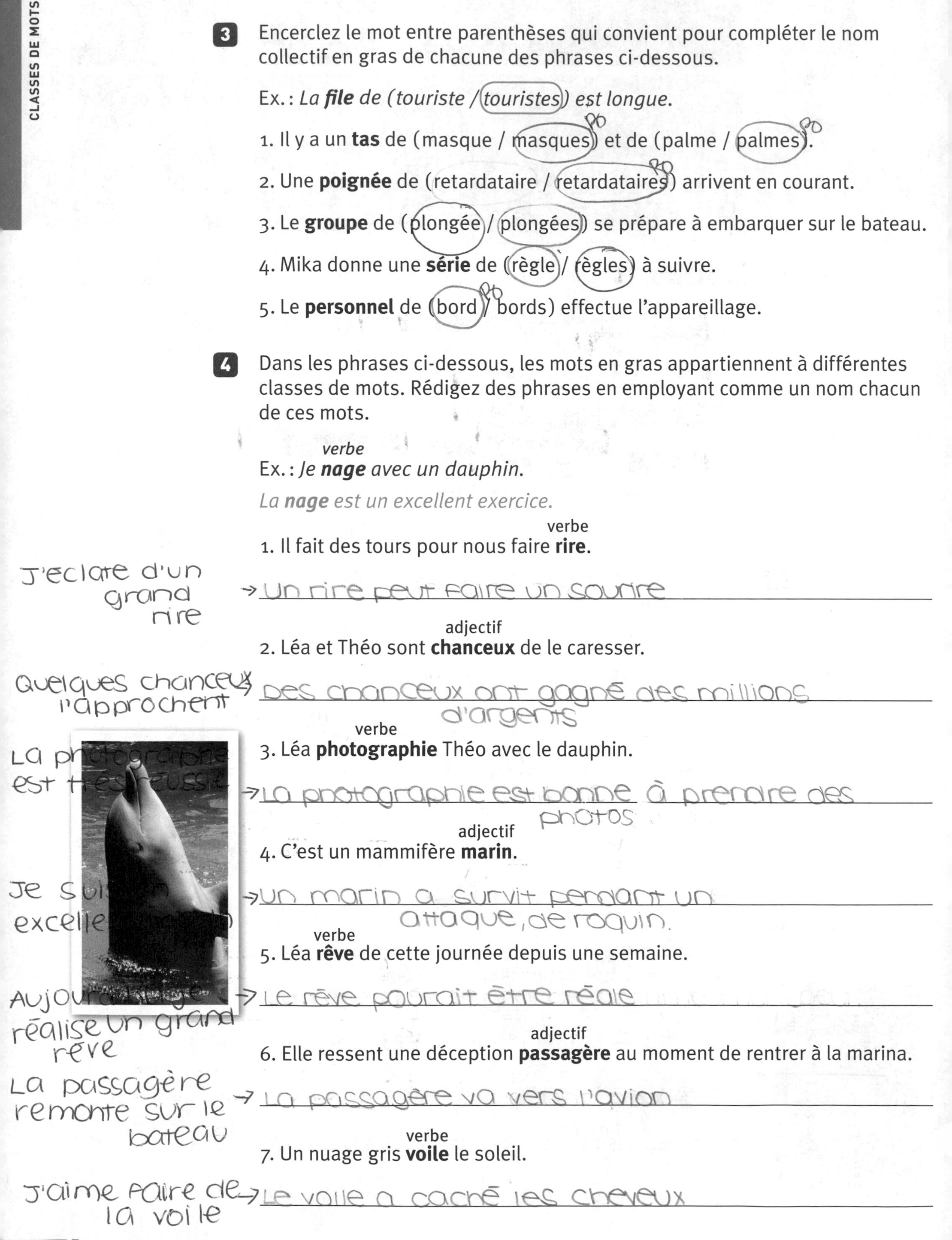

3 Encerclez le mot entre parenthèses qui convient pour compléter le nom collectif en gras de chacune des phrases ci-dessous.

Ex. : *La **file** de (touriste / touristes) est longue.*

1. Il y a un **tas** de (masque / masques) et de (palme / palmes).
2. Une **poignée** de (retardataire / retardataires) arrivent en courant.
3. Le **groupe** de (plongée / plongées) se prépare à embarquer sur le bateau.
4. Mika donne une **série** de (règle / règles) à suivre.
5. Le **personnel** de (bord / bords) effectue l'appareillage.

4 Dans les phrases ci-dessous, les mots en gras appartiennent à différentes classes de mots. Rédigez des phrases en employant comme un nom chacun de ces mots.

Ex. : *Je **nage** (verbe) avec un dauphin.*

*La **nage** est un excellent exercice.*

1. Il fait des tours pour nous faire **rire** (verbe).

→ Un rire peut faire un sourire

2. Léa et Théo sont **chanceux** (adjectif) de le caresser.

→ Des chanceux ont gagné des millions d'argents

3. Léa **photographie** (verbe) Théo avec le dauphin.

→ La photographie est bonne à prendre des photos

4. C'est un mammifère **marin** (adjectif).

→ Un marin a survit pendant un attaque, de roquin.

5. Léa **rêve** (verbe) de cette journée depuis une semaine.

→ Le rêve pourait être réale

6. Elle ressent une déception **passagère** (adjectif) au moment de rentrer à la marina.

→ La passagère va vers l'avion

7. Un nuage gris **voile** (verbe) le soleil.

→ Le voile a caché les cheveux

Le pronom

P 1re 2e
★★★

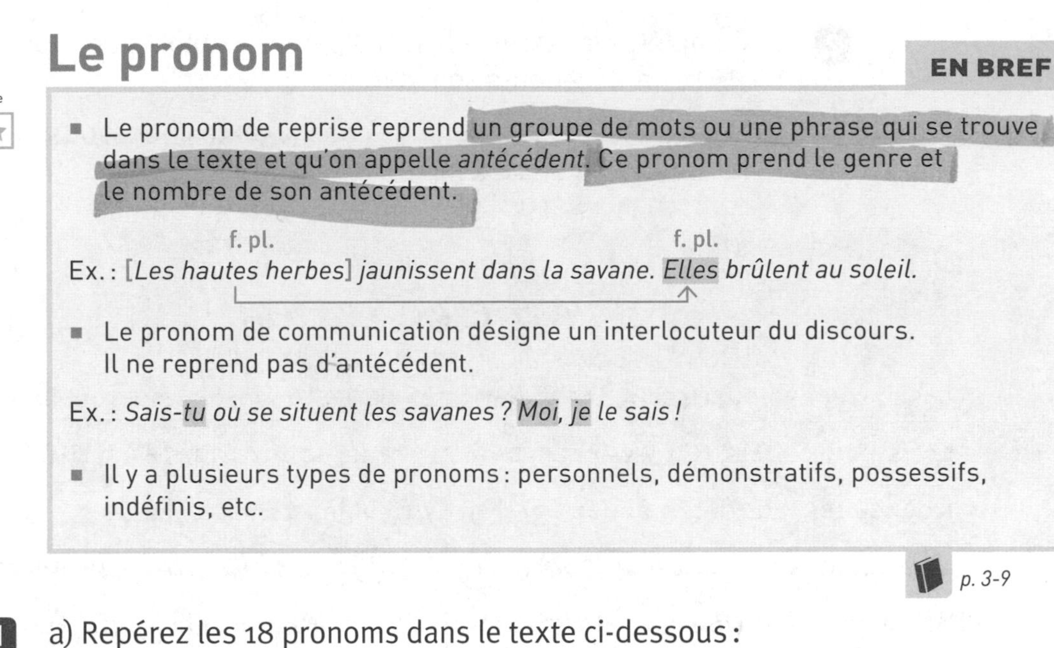

EN BREF

- Le pronom de reprise reprend un groupe de mots ou une phrase qui se trouve dans le texte et qu'on appelle *antécédent*. Ce pronom prend le genre et le nombre de son antécédent.

Ex. : [*Les hautes herbes*] *jaunissent dans la savane. Elles brûlent au soleil.* (f. pl. → f. pl.)

- Le pronom de communication désigne un interlocuteur du discours. Il ne reprend pas d'antécédent.

Ex. : *Sais-tu où se situent les savanes ? Moi, je le sais !*

- Il y a plusieurs types de pronoms : personnels, démonstratifs, possessifs, indéfinis, etc.

p. 3-9

Reconnaître le pronom de reprise aide à vérifier quel groupe de mots il reprend et à l'employer au bon genre et au bon nombre.

Comment reconnaître un pronom de reprise ? Il peut être remplacé par un groupe de mots qui reprend son antécédent.

1 a) Repérez les 18 pronoms dans le texte ci-dessous :
- soulignez les pronoms de communication ;
- encerclez les pronoms de reprise.

b) Surlignez l'antécédent de chacun des pronoms de reprise.

Carnet du bout du monde

Zumba

Aujourd'hui, nous roulons en quatre-quatre dans la savane. Nous allons capturer un éléphanteau. Attention ! Ce n'est pas dans le but de profiter de cette bête, mais plutôt de l'aider. Nous travaillons à préserver les éléphants. Nous essayons de secourir les orphelins. Nous les attrapons pour les conduire dans un refuge, car sans leur mère pour les nourrir, ils meurent. Depuis quelques jours, nous suivons un jeune animal dans un troupeau. Sa mère est absente, nous allons l'isoler du groupe pour le ramener avec nous. Notre nouveau protégé vivra deux ou trois ans au refuge, puis il sera graduellement réintégré à la vie sauvage. Mon équipe et moi l'avons surnommé Zumba.

Savanah LABROUSSE, *Naturophile*, vol. 1, nº 1, octobre 2011, p. 6. (Source fictive.)

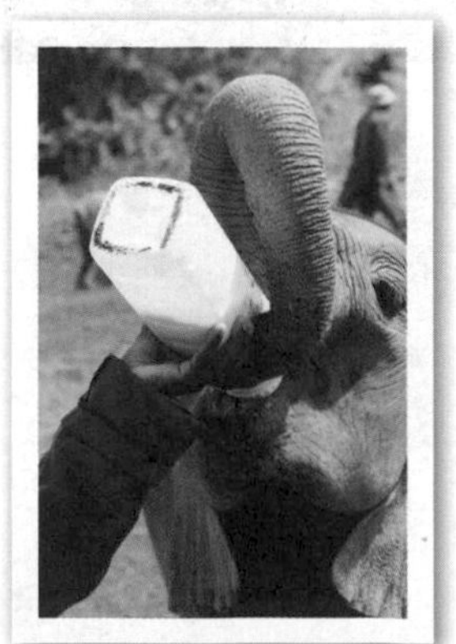

Nom : _______________ Groupe : _______ Date : _______

2 a) Complétez le texte ci-dessous par les pronoms de reprise appropriés.
! Les antécédents sont surlignés.

b) Soulignez tous les pronoms dans le texte ci-dessous. Il y en a 14 en incluant celui de l'exemple.

La vie au refuge

Les gardiens nourrissent les éléphanteaux. Ils *leur* donnent un biberon toutes les trois heures. Ils _____ mettent de la crème solaire sur les oreilles, car _____ sont sensibles. Les bébés aiment prendre des bains de boue. Cela _____ amuse. _____ aiment aussi jouer à la balle. Ils _____ font rouler avec leurs pattes. Les gardiens _____ font faire de l'exercice tous les jours. Le soir venu, les éléphanteaux entrent dans les bâtiments pour _____ passer la nuit. Les gardiens _____ recouvrent d'une toile et dorment près d' _____.

Savanah LABROUSSE, *Naturophile*, vol. 1, n° 1, octobre 2011, p. 10. (Source fictive.)

3 a) Complétez le texte ci-dessous par les pronoms appropriés.

b) Surlignez les antécédents de ces pronoms.

La nouvelle famille de Zumba

Zumba est amaigri et fragile lorsque nous _____ ramenons au refuge. _____ est un peu craintif et refuse de débarquer de la camionnette. La bête est apeurée. Nous approchons doucement d' _____ pour éviter de _____ faire encore plus peur et nous _____ forçons à _____ descendre.

Ses nouveaux compagnons _____ entourent. _____ acceptent immédiatement Zumba parmi _____. Miss Daisy, une jeune éléphante, semble avoir un faible pour notre nouveau venu. _____ _____ taquine avec sa trompe. _____ ont l'air de bien s'amuser.

Zumba reprendra rapidement du poil de la bête au refuge, car nous prendrons bien soin de lui. _____ est certain !

Savanah LABROUSSE, *Naturophile*, vol. 1, n° 1, octobre 2011, p. 11. (Source fictive.)

Nom : ____________________ Groupe : ________ Date : ____________

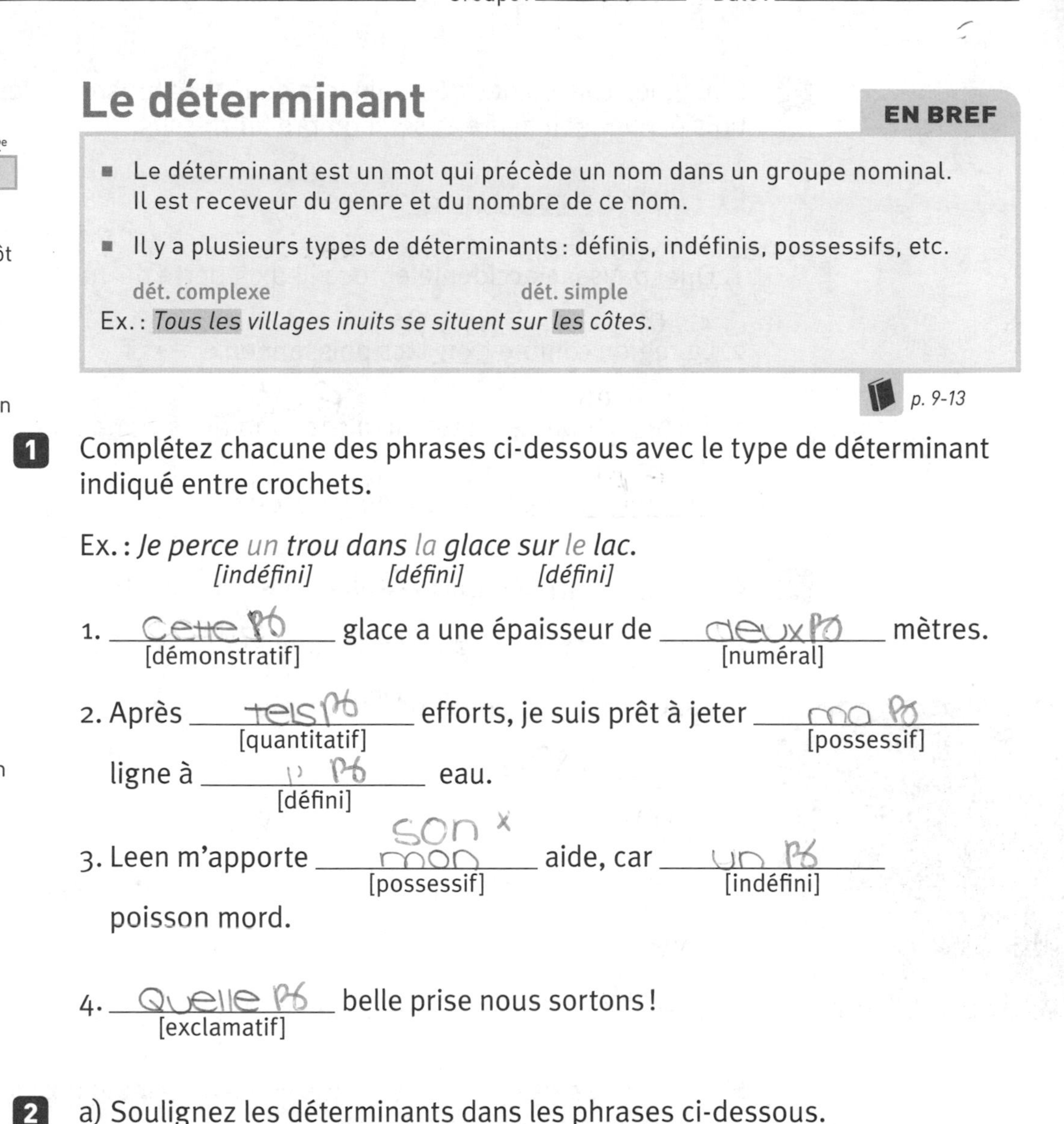

Le déterminant

P 1re 2e

EN BREF

- Le déterminant est un mot qui précède un nom dans un groupe nominal. Il est receveur du genre et du nombre de ce nom.
- Il y a plusieurs types de déterminants : définis, indéfinis, possessifs, etc.

Ex. : *Tous les* (dét. complexe) *villages inuits se situent sur* *les* (dét. simple) *côtes.*

p. 9-13

Utiliser un type de déterminant plutôt qu'un autre permet d'apporter une précision au nom : un chien (un chien quelconque), ce chien (ce chien-là), mon chien (le chien qui m'appartient).

1 Complétez chacune des phrases ci-dessous avec le type de déterminant indiqué entre crochets.

Ex. : *Je perce un [indéfini] trou dans la [défini] glace sur le [défini] lac.*

1. ____________ [démonstratif] glace a une épaisseur de ____________ [numéral] mètres.
2. Après ____________ [quantitatif] efforts, je suis prêt à jeter ____________ [possessif] ligne à ____________ [défini] eau.
3. Leen m'apporte ____________ [possessif] aide, car ____________ [indéfini] poisson mord.
4. ____________ [exclamatif] belle prise nous sortons !

Comment reconnaître un déterminant complexe ? Il peut être remplacé par un déterminant simple.

2 a) Soulignez les déterminants dans les phrases ci-dessous.

b) Corrigez les cinq déterminants mal orthographiés.

ERREURS !

Ex. : *Bien des gens aiment visiter ~~le~~ les villages voisins.*

1. Une avion se pose sur la piste d'atterrissage.
2. La plupart des passagers portent des tuque et des mitaines.
3. Quelques personnes resserrent le capuchon de leurs parka.

✲ 4. Quelle temps froid et sec pour cet période de l'année !

3 Soulignez chacun des déterminants dans les phrases ci-dessous, puis écrivez son genre et son nombre au-dessus.

Ex. : *Il n'y a aucun arbre à l'horizon.* (*aucun* : m. s. ; *l'* : m. s.)

1. Quel paysage accidenté et rocailleux à perte de vue !
2. La région compte trois lacs poissonneux.
3. Certains arbustes résistent à ces conditions climatiques.

✲ 4. Différentes plantes courent au ras du sol.

4 a) Soulignez les déterminants dans les phrases ci-dessous.

Ex. : *Plein d'amateurs de chasse viennent dans la région.*

1. J'aperçois un troupeau de caribous qui approche.
2. Combien de bêtes pouvez-vous compter ?
3. Les bêtes adultes encerclent quinze petits.
4. Ils soulèvent beaucoup de poussière sur leur passage.
5. Ce troupeau va s'arrêter là-bas pour se reposer.
6. Quelles belles bêtes libres et sauvages !

b) Transcrivez les déterminants que vous avez soulignés dans le tableau ci-dessous, puis complétez-le.

DÉTERMINANTS	FORMES	TYPES
Ex. : *Plein d'*	*complexe*	*quantitatif*
Ex. : *la*	*simple*	*défini*
un	simple	indéfini
combien de	complexe	interrogatif
les	simple	défini
quinze	simple	numéral
beaucoup de	complexe	quantitatif
leur	simple	possessif
ce	simple	démonstratif
quelles	simple	exclamative

Nom : ______________________ Groupe : ____________ Date : ____________

L'adjectif

P 1re 2e
★ ★

Reconnaître l'adjectif aide à bien l'accorder.

EN BREF

L'adjectif qualifie ou classe le nom avec lequel il est en relation. Il constitue le noyau du groupe adjectival (GAdj). L'adjectif reçoit généralement le genre et le nombre du nom ou du pronom qu'il complète.

Ex. : *Les espèces animales sont nombreuses dans la forêt tropicale.* (f. pl. ; f. s.)

p. 14-15

1 a) Soulignez les adjectifs dans les phrases ci-dessous.

b) Reliez chacun de ces adjectifs au nom qu'il complète.

! L'adjectif est parfois séparé du nom qu'il complète par d'autres mots.

Comment reconnaître un adjectif qualifiant ? Il peut être précédé d'un adverbe d'intensité tel que *très*, *assez* ou *peu*.

Ex. : *Je photographie de très gros papillons nocturnes.*

1. Des singes hurleurs se balancent dans les arbres fruitiers.

2. Le fourmilier attrape les insectes grâce à sa longue langue collante.

3. Les ailes bien déployées, la harpie peut atteindre deux mètres de large.

4. Le sol de la forêt, chaud et humide, grouille de bêtes sauvages.

✲ 5. Le perroquet mange des fruits et des noix variés.

c) Dans le tableau ci-dessous, classez les adjectifs que vous avez soulignés.

ADJECTIFS QUALIFIANTS		ADJECTIFS CLASSIFIANTS
Ex.: *gros*	deux	Ex.: *nocturnes*
hurleurs	large	fruitiers
longue	sauvages	varié
collante	déployées	chaud, humide

2 a) Précisez si les mots en gras dans les phrases ci-dessous sont des adjectifs (adj.) ou des participes présents (p. prés.).

b) Faites les accords nécessaires.

Comment distinguer un adjectif d'un participe présent ? L'adjectif peut être remplacé par un autre adjectif et le participe présent peut être encadré par les adverbes de négation *ne... pas*.

Ex. : *Nous avançons lentement à bord de pirogues,* ***glissant*** ___ *sur l'eau.* (p. prés.)

1. Les herbes **abondant** s ralentissent l'embarcation. (adj.)

2. Quelques animaux **habitant** s la forêt nous observent avec méfiance. (p.prés)

3. Nous atteignons bientôt un village **bordant** ___ la rivière. (adj.)

Nom : ______ Groupe : ______ Date : ______

3 a) Soulignez tous les adjectifs dans le texte ci-dessous. Il y en a 14 en incluant celui de l'exemple.

Les serpents

Les serpents sont des reptiles de tailles variées. Ils ont le corps couvert d'écailles. Ils n'ont pas la peau gluante, comme plusieurs personnes pensent, mais sèche et froide. Pour se réchauffer, ils s'exposent aux chauds rayons du soleil.

Selon les spécialistes, tous les serpents ont des glandes à venin. Toutefois, ils sont dangereux seulement s'ils ont des crochets à venin à l'avant de leur mâchoire supérieure. C'est le cas des redoutables crotales.

Les serpents sont carnivores. Comme ils ont la gueule élastique, ils arrivent à avaler de très, très grosses proies, surtout lorsqu'ils sont affamés. Plus elles sont grosses, plus ils mettent de temps à les digérer...

Paul BIENVENUE, *Naturophile*, vol. 1, n° 1, octobre 2011, p. 15. (Source fictive.)

b) Dans le texte ci-dessus, relevez une paire d'adjectifs qui sont des synonymes.

gluante, glandes

c) Donnez deux paires d'adjectifs qui sont des antonymes.

chauds, froide

d) Relevez deux adjectifs classifiants dans le texte.

sèche, froide

e) Complétez ce tableau. Pour cela, relevez trois adjectifs issus d'un verbe dans le texte en a), puis donnez l'infinitif de chacun de ces verbes.

ADJECTIFS ISSUS D'UN VERBE	VERBES À L'INFINITIF
variées	varier
ecailles	ecailler
glandes	glander

Nom : ______________________________ Groupe : ____________ Date : ________________

Le verbe

P 1re 2e ★ ★ ★

EN BREF

Le verbe est le noyau du groupe verbal (GV). Il peut être suivi d'un ou de plusieurs compléments. Le verbe reçoit la personne, le genre et le nombre du sujet de la phrase.

temps simple — temps composé

Ex. : *L'aigle bâtit son nid sur la falaise. L'aigle a bâti son nid sur la falaise.*

p. 15-17

Reconnaître le verbe aide à bien l'accorder avec le sujet.

1 Soulignez les verbes dans les phrases ci-dessous.

Ex. : *La chèvre blanche grimpe facilement la montagne à pic.*

Comment reconnaître un verbe ? Il peut être conjugué ou utilisé avec les adverbes de négation *ne... pas*.

1. Dans la prairie, le cerf broute l'herbe fraîche pour calmer sa faim.
2. Les lièvres détalent rapidement en nous apercevant.
3. L'animal sauvage laisse ses traces de pas dans le sentier.
4. ✲ L'ours brun observe le va-et-vient des poissons avant de les attraper.

2 a) Soulignez les verbes au présent de l'indicatif dans les phrases ci-dessous.
! Le pronom personnel qui précède le verbe fait parfois partie de ce verbe.

b) Écrivez l'infinitif de chacun des verbes soulignés.

Ex. : *Les loups ne se trouvent pas très loin d'ici.* (se trouver)

1. Nous vous invitons à être prudents dans les sentiers. (inviter)
2. Je me déplace avec bruit pour annoncer ma présence. (déplacer)
3. Les gardes forestiers les surveillent de très près. (surveiller)
4. Au moindre mouvement, la petite bête s'enfuit dans son terrier. (s'enfuir)

3 a) Soulignez les verbes dans les phrases ci-dessous.

b) Encerclez l'auxiliaire de conjugaison des verbes conjugués à un temps composé.

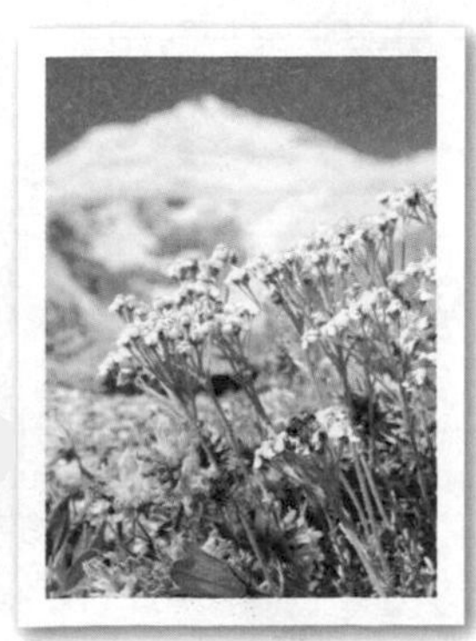

Ex. : *Vous avez atteint le glacier après trois heures de marche.*

1. J'avais imaginé de magnifiques paysages comme ceux-ci.
2. Les plantes ont fleuri grâce à ce soleil resplendissant.
3. L'eau a coulé des glaciers jusque dans la vallée.
4. Nous avons goûté cette eau claire et limpide.

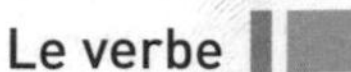

4 a) Soulignez les verbes conjugués dans les phrases ci-dessous.

b) Récrivez ces phrases en remplaçant les verbes à des temps composés par des verbes à des temps simples.

Ex. : *Les marcheurs ont pris une pause à mi-chemin.*

Les marcheurs ***prennent*** *une pause à mi-chemin.*

1. Ils ont tranquillement grignoté des barres nutritives.

Ils grignotent tranquillement des barres nutritives

2. Xavier a posé son sac à dos par terre.

Xavier pose son sac à dos à terre

3. Il a étiré ses muscles endoloris.

Il étire ses muscles endoloris

4. Les randonneurs ont semblé trouver l'ascension facile.

Les randonneurs semblent trouver l'ascension facile

5. Les derniers sont arrivés au refuge avant la tombée de la nuit.

Les derniers arrivent au refuge avant la tombée de la nuit

5 a) Soulignez les verbes dans les phrases ci-dessous.

b) Récrivez ces phrases en remplaçant ces verbes par d'autres au même temps et au même mode.

Ex. : *Maxime s'occupe de répartir les tâches.*

Maxime ***s'assure*** *de* ***distribuer*** *les tâches.*

1. Bernadette cuisine le repas en discutant avec ses amis.

Bernadette prépare le repas en parlant avec ses amis

2. Rosie empile des bûches pour allumer un feu.

Rosie rassemble des bûchos pour ouvrir un feu

3. Loïc a suspendu les vêtements humides.

Loïc placer les vêtements humides

4. Dave tracera l'itinéraire sur la carte.

Dave marchera l'itinéraire sur la carte

Nom : ______ Groupe : ______ Date : ______

L'adverbe

P 1re 2e

EN BREF

- L'adverbe est un mot invariable (sauf *tout*). Il est le noyau du groupe adverbial (GAdv).
- Les adverbes expriment différents sens : la négation, l'intensité, la manière, le temps, le lieu, etc.

Ex. : *Les déserts s'étendent* petit à petit (adv. complexe) *: il faut s'attaquer* sérieusement (adv. simple) *à ce problème.*

p. 18

Insérer un adverbe dans un texte permet de nuancer ses propos ou d'organiser clairement ses idées.

1 Soulignez les adverbes de temps et encerclez les adverbes de lieu dans les phrases ci-dessous.

Ex. : *Il pleut rarement sur le Sahara.*

1. Le renard des sables est capable de rester longtemps sans boire.
2. Là-bas, il y a une oasis où les animaux apaisent leur soif.
3. Le chameau et le dromadaire sont indispensables pour voyager ici.
4. La caravane atteindra bientôt la prochaine oasis.
5. Comme partout, les animaux du désert se sont adaptés au climat sec et chaud de leur habitat.

Un adverbe peut-il toujours être supprimé ? Oui, mais cela peut modifier complètement le sens de la phrase, comme dans le cas des adverbes de négation.

2 Surlignez les adverbes utilisés pour marquer la négation, l'intensité ou la manière dans les phrases ci-dessous.

Ex. : *La nuit, la température chute énormément.*

1. Certains jours, le vent souffle intensément dans le désert.
2. Les dunes recouvrent entièrement ces régions.
3. Les racines de ces plantes s'enfoncent profondément dans le sol.
4. Les animaux ne mangent pas ces plantes à cause de leurs épines.
5. Beaucoup d'animaux ne sortent jamais le jour.

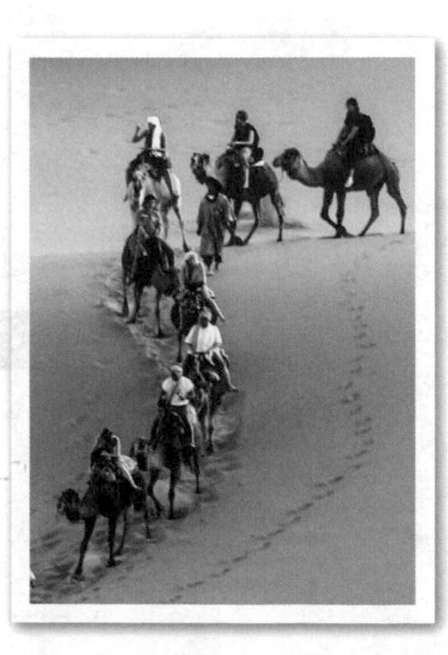

Nom : ______________ Groupe : ______ Date : ______

La préposition

P 1re 2e

EN BREF

La préposition est un mot invariable. Elle est le noyau du groupe prépositionnel (GPrép). La préposition est toujours suivie d'un complément.

Ex. : *Joao s'aventure* **dans** *la mangrove* **au début de** *la journée.* (dans : prép. simple ; au début de : prép. complexe)

p. 19-21

1 a) Soulignez les 17 prépositions dans le texte ci-dessous.
⚠ Il y a 12 prépositions simples et 5 prépositions complexes en incluant celle de l'exemple.

Une pouponnière tropicale

La mangrove est une forêt tropicale située près de la mer. Cette forêt est inondée à marée haute. Les palétuviers y grandissent facilement, car ces arbres poussent dans la vase et l'eau salée. Une partie de leurs racines se développe au-dessus de l'eau et l'autre se développe sous l'eau en s'entrecroisant. Ce réseau de racines est un lieu de reproduction idéal pour plusieurs espèces de poissons. Les petits poissons y trouvent des cachettes afin de se protéger contre les gros prédateurs. Il est possible d'observer plusieurs autres espèces animales à travers la mangrove, comme des mollusques, des reptiles, des oiseaux et des insectes. Il faut toutefois s'y aventurer à bord d'embarcations silencieuses.

Éva LARIVIÈRE, *Naturophile*, vol. 1, nº 1, octobre 2011, p. 12. (Source fictive.)

b) Classez ces prépositions sans les répéter dans le tableau suivant.

PRÉPOSITIONS SIMPLES	PRÉPOSITIONS COMPLEXES
dans, à, y, sous, en, de,	Ex.: *près de,*
de, pour, de, y, contre,	au-dessu
d', à, y	afin-de
	à bord

Nom : ______________________ Groupe : __________ Date : ______________

2 Encerclez toutes les prépositions dans le texte ci-dessous, puis soulignez leur complément. Il y a huit prépositions en incluant celle de l'exemple.

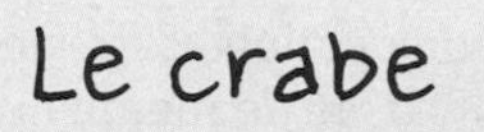

Crabe, crabe, méchant crabe
Rouge et jaune comme
 un diable
Je te tiens dans mon filet.
Ah ! que tu es misérable,
Crabe, crabe, gringalet,
Quand tu n'es plus sur le sable
Où la mer coud ses ourlets !
Que vais-je faire de toi,

Crabe, crabe méchant crabe
Je te vois sauter d'effroi,
Mordre dans mon filet vert
Et courrir de travers[1]
Allons, bon, je te pardonne.
Je vais te rendre à la mer
Tout étoilée d'anémones.
Crabe, crabe souviens-toi :
Ne me pince plus les doigts.

Maurice CARÊME, « Le crabe », *Le mât de cocagne*. © Fondation Maurice Carême.

1. de travers : adverbe.

3 Soulignez les prépositions dans les phrases ci-dessous, puis précisez leur sens au-dessus.

Sens des prépositions : but cause lieu temps

Ex. : *Un héron attrape un poisson au bord de l'eau.* (lieu)

1. Liam explore la mangrove afin d'observer la faune.
2. Zoé l'accompagne durant cette excursion.
3. Ils avancent lentement en raison de la chaleur.
4. Un cormoran survole la mer avant de plonger.

✲ 5. Ils entendent chanter les oiseaux partout autour d'eux.

Nom : ______________________ Groupe : __________ Date : __________

La conjonction

P 1re 2e

EN BREF

- La conjonction est un mot invariable qui relie des groupes de mots ou des phrases.
- Les conjonctions de coordination (*et, ou, mais*, etc.) relient des groupes ou des phrases de même niveau syntaxique.

Ex. : *Le castor ronge [les arbres] et [les branches].*

- Les conjonctions de subordination (*avant que, lorsque, quand, depuis que*, etc.) relient une phrase subordonnée à une phrase enchâssante.

Ex. : *[Le castor travaille à l'entretien de son barrage] [lorsqu'il l'a terminé].*

Bien utiliser les conjonctions permet de faire des liens clairs entre des groupes de mots ou des phrases.

p. 21-24

1 a) Soulignez les groupes de mots et les phrases reliés par les conjonctions de coordination en gras dans les phrases ci-dessous.

b) Dans le tableau, indiquez à l'aide d'un crochet s'il s'agit de groupes de mots ou de phrases.

	COORDINATION	
	GROUPES DE MOTS	PHRASES
Ex. : *Le castor utilise des branchages **et** de la boue pour construire sa hutte.*	✓	
1. Ses dents effilées **et** sa large queue plate lui permettent de bâtir des constructions solides.	X	
2. Il a une petite taille, **mais** il est massif.		X
3. Le castor construit ses barrages à travers des ruisseaux **ou** des rivières.	X	
4. Le castor a déjà été menacé d'extinction, **mais** il ne l'est plus grâce à des mesures de contrôle.		X

2 Surlignez les conjonctions de subordination dans les phrases ci-dessous.

Ex. : *Pendant que je décharge la voiture, tu dresses la tente sur le site.*

1. Mia prépare un feu tandis que Justin cuisine le repas.
2. Nous nous installons près du feu jusqu'à ce que nous allions dormir.
3. Les ratons laveurs sortent de leur cachette aussitôt que les feux sont éteints.
4. La chouette chasse lorsque la nuit tombe.

Pour faire le point

Les classes de mots

p. 1-24

1 Lisez le texte ci-dessous, puis répondez aux questions qui suivent.

La cage sans oiseaux

Félix ne comprend pas pourquoi on tient des oiseaux **prisonniers** dans une cage.

« De la même façon, dit-il, que c'est un crime de cueillir une fleur, et, personnellement, je ne veux la **respirer** que sur **sa** tige, les oiseaux sont faits **pour** voler. »

Cependant, il achète une cage. Il l'accroche à sa fenêtre. Il y dépose un nid d'ouate, une soucoupe de graines, une tasse d'eau **pure**. Il y suspend une balançoire et une petite **glace**.

Lorsqu'on l'interroge avec surprise, il répond :

« Je me réjouis **grandement**, dit-il, chaque fois que je regarde cette cage. Je pourrais y mettre un oiseau et je **la** laisse vide ! Si je voulais, une grive brune, un bouvreuil pimpant **ou** un oiseau d'une autre espèce vivrait comme un **esclave**. Mais **grâce à** moi, l'un d'eux au moins reste libre. C'est toujours **ça**. »

Adapté de Jules RENARD (1864-1910), *Histoires naturelles*.

2 a) Soulignez le groupe de mots repris par chacun des pronoms surlignés.

b) Relevez un pronom de communication.

____

Nom : ______ Groupe : ______ Date : ______

3 Précisez si chacun des adjectifs ci-dessous est qualifiant ou classifiant.

1. prisonniers (ligne 2) : adjectif qualifiant
2. petite (ligne 9) : adjectif qualifiant
3. vide (ligne 12) : adjectif classifiant

4 Encerclez les verbes entre les lignes 11 et 14.

5 Entre les lignes 6 et 14, relevez deux phrases reliées par la conjonction *et.*

une banlançoire et une petite glace

je pourrai y metre un oiseau et je la laisse vide

6 Précisez la classe de mots à laquelle appartient chacun des mots en gras dans le texte.

1. prisonniers	adj	2. respirer	nomc
3. sa	dét	4. pour	prépo
5. pure	adv	6. glace	nomc
7. grandement	adv	8. la	dét
9. ou	prépo	10. esclave	nom c
11. grâce à	prépo	12. ça	dét

TEXTE *EXPRESS*

p. 130-131

Le club d'ornithologie de la région désire sensibiliser les gens à la protection des oiseaux. C'est pourquoi il organise une exposition sur les espèces observables dans les environs. Le club vous invite à y participer.

■ ■ ■

Préparez une courte fiche descriptive sur une espèce d'oiseau de votre choix. Rédigez une description d'environ 100 mots afin d'informer les gens sur cette espèce. Joignez une photo à votre fiche.

Les fiches reçues constitueront un volet de l'exposition.

■ ■ ■

1 Soulignez chaque nom dans votre texte. Assurez-vous d'avoir utilisé les noms qui conviennent pour nommer ce dont vous parlez.

2 Remplacez, s'il y a lieu, les groupes de mots qui sont répétés par des pronoms. Encerclez chaque pronom, puis reliez-le à son antécédent.

3 Assurez-vous d'avoir utilisé des adjectifs pour présenter les caractéristiques de l'espèce que vous avez choisie. Encadrez chaque adjectif et reliez-le au nom ou au pronom qu'il complète.

Comment reconnaître les groupes de mots ?

Le groupe nominal

P 1re 2e

EN BREF

Le groupe nominal (ou GN) est constitué d'un noyau qui est le premier nom de ce groupe de mots. L'expansion du nom noyau du GN a la fonction de complément du nom.

QUELQUES STRUCTURES DU GROUPE NOMINAL	EXEMPLES
Déterminant + nom seul	*[Le rafting] est excitant.*
Déterminant + nom + groupe adjectival	*C'est [un sport extrême].*
Déterminant + nom + groupe nominal	*Nous descendrons [la rivière Malbaie].*
Déterminant + nom + groupe prépositionnel	*[La descente de la rivière] est amusante.*
Déterminant + nom + subordonnée relative	*C'est [une activité qui vous plaira].*

Reconnaître le groupe nominal et son nom noyau aide à faire correctement les accords à l'intérieur de ce groupe.

p. 26-27

1 a) Dans chacune des phrases ci-dessous, le nom en gras est le noyau d'un groupe nominal. Soulignez son expansion.

b) Récrivez les phrases en effaçant les expansions que vous avez soulignées.

Ex. : *La **compagnie** Oclaire prête l'équipement pour la journée.*

La compagnie prête l'équipement pour la journée.

1. Nous mettons des **combinaisons** isothermiques avant d'embarquer.

Nous mettons des combinaisons avant d'embarquer

2. J'attache solidement la **courroie** de mon casque sous mon menton.

J'attache solidement la courroie sous mon menton

3. Avez-vous une **pagaie** qui convient à votre taille dans votre embarcation ?

Avez-vous une pagaie ~~à votre taille~~ dans votre embarcation

Nom : ______ Groupe : ______ Date : ______

2 a) Soulignez un groupe nominal dans chacune des phrases ci-dessous.
b) Récrivez la phrase en remplaçant le groupe nominal par le pronom entre crochets.

Comment reconnaître un groupe nominal ? Il peut être remplacé par un pronom.

Ex. : *Pour diriger, le guide de l'expédition s'assoit à l'arrière.*

[il] Pour diriger, il s'assoit à l'arrière.

1. Nous nous installons dans ce bateau pneumatique.

[celui-ci] Nous nous installons dans celui-ci PO

2. Il nous donne les consignes de sécurité avant de partir.

[les] Il les nous donne avant de partir PO

3. Nous commençons la première descente en ramant vigoureusement.

[la] Nous la commençon en ramant vigoureusement X

4. Aujourd'hui, la rivière est agitée.

[elle] Aujourd'hui, elle est agitée. PO

5. Les vagues qui atteignent plusieurs mètres de haut sont impressionnantes.

[elles] Elles ~~qui atteignent plusieurs mètres de haut~~ sont impressionnantes X

3 Soulignez les groupes nominaux dans les phrases ci-dessous. Il y en a 15 en incluant ceux de l'exemple.

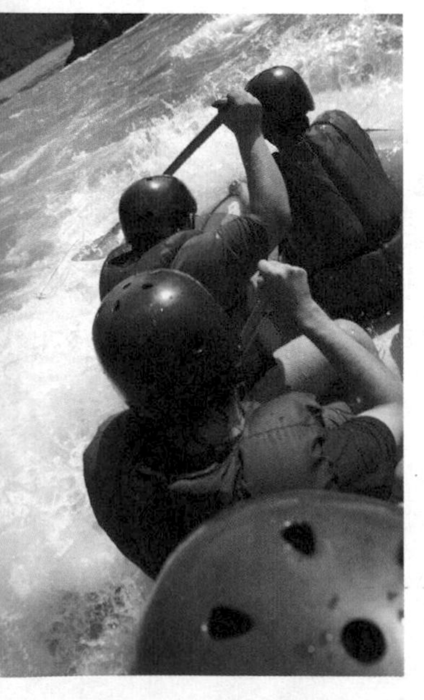

Ex. : *Un kayakiste nous suit pour assurer notre sécurité.*

1. Les membres du groupe se tiennent solidement pour ne pas tomber.
2. Nous atteignons le passage le plus mouvementé.
3. Les puissantes vagues et le courant malmènent sérieusement le canot.
4. Mon ami Nathan pousse des cris d'excitation.
5. L'atmosphère est survoltée durant un instant.
6. Nous accostons sur la berge après avoir vécu différentes émotions.
7. L'autobus nous attend pour nous ramener à notre point de départ.

Nom : ______ Groupe : ______ Date : ______

4 Les deux descriptions ci-dessous se ressemblent, à l'exception des expansions qui ont été modifiées dans les groupes du nom.

a) Soulignez les groupes du nom dans les deux descriptions.

Quelle belle journée nous avons passée !
En arrivant, nous avons eu un accueil sympathique. Après avoir reçu quelques consignes précises, nous avons effectué plusieurs descentes excitantes. Notre guide, Loïc, nous a fait vivre une aventure qui nous a enchantés.

Camille Monplaisir

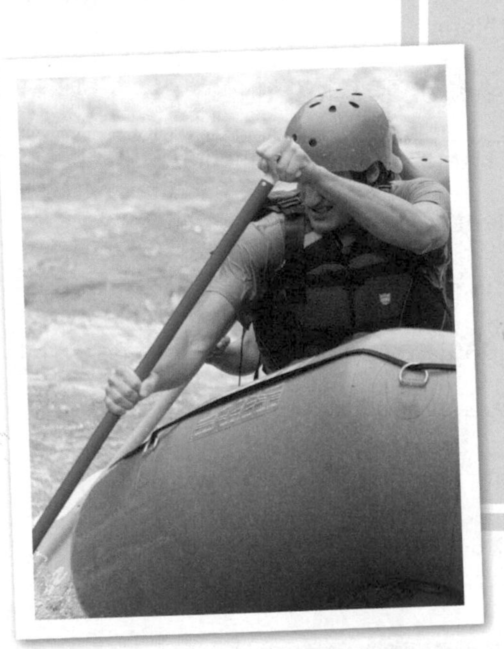

Quelle affreuse journée nous avons passée !
En arrivant, nous avons eu un accueil de glace.
Après avoir reçu quelques consignes vagues, nous avons effectué plusieurs descentes qui nous ont effrayés. Notre guide inexpérimenté nous a fait vivre une aventure horrible.

Antoine Lenoir

b) Que montrent les expansions des groupes du nom dans le texte de Camille par rapport à son point de vue ? Dans le texte d'Antoine ?

- Dans le texte de Camille, sa phrase est positive
- Dans le texte d'Antoine, sa phrase est négative

Nom : ______ Groupe : ______ Date : ______

Le groupe verbal

P 1re 2e

EN BREF

Le groupe verbal (ou GV) a pour noyau un verbe conjugué, généralement placé au début du groupe verbal. Le verbe peut être seul ou suivi d'une ou de plusieurs expansions.

QUELQUES STRUCTURES DU GROUPE VERBAL	EXEMPLES
Verbe seul	*Il [vente].*
Verbe + groupe nominal	*Mégane [sort sa planche aérotractée].*
Verbe + groupe prépositionnel	*Elle [profite d'une grosse rafale].*
Verbe + groupe adjectival	*Elle [est prête].*
Pronom + verbe	*Le vent [l'emporte].*
Verbe + groupe adverbial	*La voile [gonfle lentement].*
Verbe + verbe à l'infinitif	*Elle [va s'envoler].*

Reconnaître le groupe verbal aide à bien construire ses phrases.

p. 27-28

1 Dans chacune des phrases ci-dessous, il y a un seul groupe verbal. Soulignez-le. ! Pour vous aider, la structure du groupe verbal est donnée à la fin de chaque phrase. Consultez la page VIII pour connaître la signification des abréviations et des symboles utilisés.

Ex. : *Mégane porte un maillot pour son confort.* [V + GN]

Comment reconnaître un groupe verbal ? On peut le remplacer par un autre groupe verbal et il n'est pas supprimable.

1. Elle souhaite surfer depuis si longtemps. [V + V à l'infinitif]
2. Cette planche aérotractée appartient à Mégane. [V + GPrép]
3. Elle l'a achetée la semaine dernière. [pron. + V]
4. La jeune fille attache son harnais pour sa sécurité. [V + GN]
5. L'adolescente est prudente dans l'eau. [V + GAdj]
6. La surfeuse file joyeusement durant toute la journée. [V + GAdv]

✲ 7. Les cale-pieds la retiennent à sa planche. [pron. + V + GPrép]

Nom : ______________________ Groupe : __________ Date : __________

2 Complétez les groupes verbaux dans les phrases ci-dessous selon les indications entre crochets.

Ex. : *Malik **attend** un coup de vent pour s'élancer.*
*[**V** + GN]*

1. Le vent ______________ **tire** jusqu'au large.
[pron. + **V**]

2. Les cordes de sa voile **sont** ______________.
[**V** + GAdj]

3. Malik **s'agrippe** ______________ pour ne pas tomber.
[**V** + GAdv]

4. Il **vole** ______________ comme un oiseau.
[**V** + GPrép]

5. Pour réussir de telles pirouettes, le surfeur **doit** ______________
[**V** + V à l'infinitif]
tous les jours.

✲ 6. Les autres surfeurs et lui **ont** ______________ .
[**V** + GN]

3 a) Soulignez les groupes verbaux dans les phrases ci-dessous.
⚠ Le noyau du groupe verbal est un verbe conjugué.

b) Complétez la structure de chacun de ces groupes verbaux indiquée entre crochets.

Ex. : *Après une journée bien remplie, les jeunes décident de pique-niquer. [V + GPrép]*

1. Ils font un barbecue monstre à la plage. [V + ______________]

2. Tous participent à sa préparation. [V + ______________]

✲ 3. Le repas sera prêt bientôt. [V + ______________]

4. Les grillades semblent cuites maintenant. [V + ______________]

5. Affamé, Malik se sert généreusement à son tour. [V + ______________]

✲ 6. Mégane s'assoit près de Malik pour manger. [V + ______________]

7. Elle le connaît depuis peu. [pron. + ______________]

8. Ils ont plusieurs intérêts communs. [V + ______________]

9. Le soleil se couche lentement vers 19 heures. [V + ______________]

✲ 10. Tout le monde a semblé s'amuser tout le long de l'après-midi. [V + ______________]

Nom : ______ Groupe : ______ Date : ______

4 Dans les phrases ci-dessous, ajoutez le groupe verbal qui convient, selon les indications entre crochets. Utilisez les choix suivants.

- ~~l'aide~~
- ~~commence par une démonstration~~
- ~~regarde attentivement~~
- ~~se surpasse~~
- ~~réussit le cours~~
- ~~souhaite apprendre~~
- ~~est doué~~
- ~~monte sur la planche~~

Ex. : *Le moniteur* commence par une démonstration. [V + GPrép]

1. Nathan regarde attentivement afin de comprendre comment faire. [V + GAdv]
2. Il ~~réussit le cours~~ monte sur la planche une première fois. [V + GPrép]
3. Le moniteur ~~se surpasse~~ l'aide durant les premiers essais. [pron. + V]
4. L'élève souhaite apprendre pour réaliser son rêve. [V + V à l'infinitif]
5. Le jeune garçon ~~l'aide~~ se surpasse durant la leçon. [V]
6. Il est doué. [V + GAdj]
7. Il ~~monte sur la planche~~ réussit le cours grâce à ses efforts. [V + GN]

5 Dans les phrases ci-dessous, soulignez les groupes verbaux dont les noyaux sont en gras.

Ex. : *Les vagues* ***sont*** *grosses aujourd'hui.*

1. Le vent **souffle** modérément au bord de l'eau.
2. Les planchistes **déplient** leur voile afin de profiter de la brise.
3. Les voiles **recouvrent** une partie de la plage.

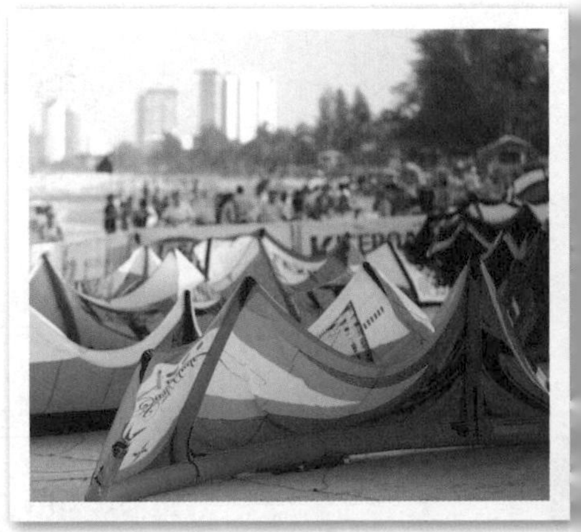

4. Ils **contrôlent** leur direction en maniant une barre reliée à la voile.
5. Le ciel **est** multicolore au-dessus de la mer.

Nom : ______________________ Groupe : __________ Date : __________

Le groupe adjectival

P 1re 2e

EN BREF

Le groupe adjectival (ou GAdj) a pour noyau un adjectif. Cet adjectif peut être seul ou suivi d'une ou de plusieurs expansions.

QUELQUES STRUCTURES DU GROUPE ADJECTIVAL	EXEMPLES
Adjectif seul	*Zack conduit une motocyclette [sportive].*
Groupe adverbial + adjectif	*C'est un conducteur [très doué].*
Adjectif + groupe prépositionnel	*Il est [champion de motocross].*

p. 28-30

1 a) Dans les phrases ci-dessous, les groupes adjectivaux sont en gras. Encerclez les noyaux de ces groupes.

Ex. : *Les motos sont* ***bien alignées*** *sur la ligne de départ.*

1. Les motocyclistes, **impatients de démarrer,** font vibrer leur moteur.
2. Les coureurs partent dans un **gros** nuage de poussière.
3. Ils sont entièrement **couverts de boue** en quelques minutes.
4. **Extrêmement déçu,** Zack quitte la piste à cause d'un pneu **crevé.**
5. Les dérapages sont **fréquents** dans les virages.
6. Les spectateurs ont les yeux **fixés sur les coureurs.**
7. La foule est **survoltée,** car la course est **vraiment excitante.**

b) Classez ces groupes adjectivaux dans le tableau ci-dessous.

GROUPES ADJECTIVAUX		
adj. seul	**GAdv + adj.**	**adj. + GPrép**
gros	Ex.: *bien alignées*	impatients de démarrer
crevé	extrêmement déçu	couverts de boue
fréquents	vraiment excitante	fixés sur les coureurs
survoltée		

2 Dans chacune des phrases ci-dessous, il y a un seul groupe adjectival. Soulignez-le. ⚠ Pour vous aider, la structure du groupe adjectival est donnée à la fin de chaque phrase.

Ex. : *Le commentateur est bavard comme une pie.* *[adj. + GPrép]*

1. Ils sont heureux grâce aux laissez-passer qu'ils ont obtenus gratuitement. [adj. seul]
2. Zack a une motocyclette entièrement noire. [GAdv + adj.]
3. Il semble tellement léger lorsqu'il bondit dans les airs. [GAdv + adj.]
4. Je suis ruisselant de sueur après tous ces efforts. [adj. + GPrép]
5. Le champion est fier de lui. [adj. + GPrép]

3 Dans chacune des phrases ci-dessous, complétez le groupe adjectival en ajoutant une expansion avant ou après l'adjectif, selon les indications entre crochets.

Ex. : *Zack accélère sur la rampe fortement **inclinée**.*
*[GAdv + **adj.**]*

1. La foule reste ________________ **silencieuse** durant quelques secondes.
   [GAdv + **adj.**]
2. Son saut est **réussi** ________________.
   [**adj.** + GPrép]
3. Il est **content** ________________ même s'il n'a pas encore reçu ses résultats.
   [**adj.** + GPrép]
4. Il est ________________ **certain** d'avoir impressionné les juges.
   [GAdv + **adj.**]

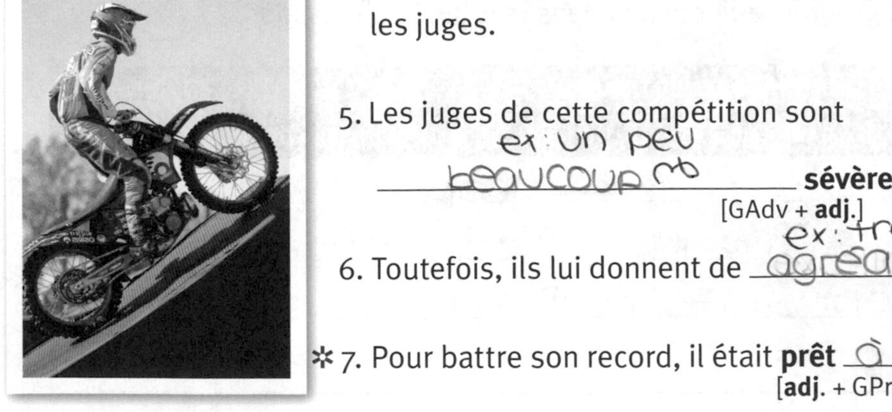

5. Les juges de cette compétition sont ________________ **sévères**.
   [GAdv + **adj.**]
6. Toutefois, ils lui donnent de ________________ **bonnes** notes.
   [GAdv + **adj.**]

✲ 7. Pour battre son record, il était **prêt** ________________.
   [**adj.** + GPrép]

Nom : ______________________ Groupe : ____________ Date : ____________

Le groupe prépositionnel

EN BREF

P 1re 2e

Bien utiliser le groupe prépositionnel permet de compléter un nom, un verbe, un adjectif ou de donner une précision de temps, de lieu, de but, etc.

Le groupe prépositionnel (ou GPrép) a pour noyau une préposition placée au début du groupe. La préposition est toujours suivie d'une expansion formée d'un mot ou d'un groupe de mots.

QUELQUES STRUCTURES DU GROUPE PRÉPOSITIONNEL	EXEMPLES
Préposition + groupe nominal	*Alex attache les courroies [de sa planche].*
Préposition + verbe à l'infinitif	*Il se prépare [à surfer].*
Préposition + pronom	*Il nous accompagne [grâce à toi].*

p. 30-31

1 a) Dans les phrases ci-dessous, les groupes prépositionnels sont en gras. Soulignez les noyaux de ces groupes.

b) Donnez la structure de ces groupes prépositionnels. Utilisez les abréviations et les symboles suivants :

- prép. + GN
- prép. + V à l'infinitif
- prép. + pron.

Ex. : *Incapable* ***de patienter,*** *Alex grimpe* ***sur sa planche.*** (prép. + V à l'infinitif ; prép. + GN)

1. Il glisse ses pieds **dans les cale-pieds**. (prép. gn)
2. **Pour une bonne visibilité**, il met ses lunettes **de soleil**. (prép. gn ; prép. gn)
3. **Avec une grande excitation,** Alex se prépare **à descendre**. (prép. gn ; prép. v à infinitif)
4. Confiant **de réussir**, il fonce droit **devant lui**. (prép. v à infinitif ; prép. pron)
5. Rapidement, les autres font **comme lui**. (prép. pron)

✲6. Rendus **au bas de la pente**, ils sont déjà prêts **à recommencer**. (prép. gn ; prép. v à infinitif)

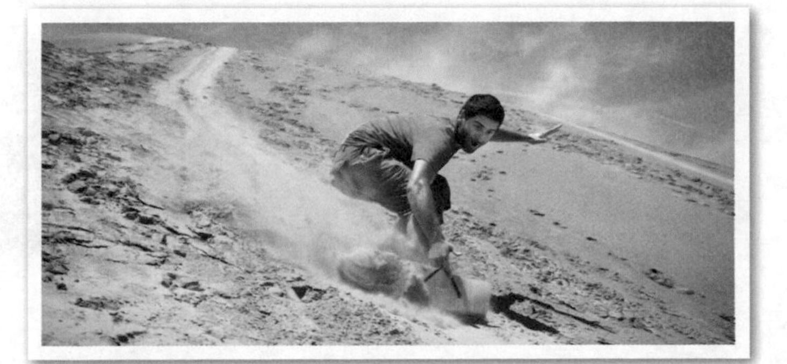

Nom : ____________ Groupe : ____________ Date : ____________

2 a) Encerclez les prépositions simples et complexes dans les phrases ci-dessous.

b) Soulignez l'expansion de chacune de ces prépositions.

Ex. : *Aujourd'hui, Olivia va essayer la planche à sable.*

1. La camionnette se dirige vers les dunes, puis s'arrête.
2. Nous débarquons, car nous allons escalader la dune à pied.
3. Olivia ouvre la marche, les autres sont derrière elle.
4. La marche est longue jusqu'à l'arrivée.
5. Nous sommes déjà épuisés après cet effort.
6. Avant de descendre, prenons quelques minutes pour boire.
7. ✲ C'est difficile de récupérer par cette chaleur.
8. Cette expérience sera pour nous inoubliable.

c) Les prépositions suivies de leur expansion forment des groupes prépositionnels. Classez ces groupes dans le tableau ci-dessous.

GROUPES PRÉPOSITIONNELS		
Prép. + GN	**Prép. + V à l'infinitif**	**Prép. + pron.**
Ex.: *à sable*	pour boire	pour nous
vers les dunes	avant de descendre	par cette
à pied	de récupérer	derrière elle
après cet effort		
jusqu'à l'arrivée		
par cette chaleur		

Nom : ______________________ Groupe : ____________ Date : ____________

Le groupe adverbial

P 1re 2e

Insérer un groupe adverbial dans un texte permet de nuancer son propos ou d'organiser clairement ses idées.

EN BREF

Le groupe adverbial (ou GAdv) a pour noyau un adverbe. Le plus souvent, l'adverbe est seul dans le groupe adverbial, mais il peut parfois être précédé d'un autre adverbe. Contrairement à la préposition, l'adverbe n'est jamais suivi d'une expansion.

Ex. : *Tu dois descendre [bien **lentement**] dans cette crevasse [**très**] étroite.*

p. 31-32

1 a) Soulignez le groupe adverbial dans chacune des phrases ci-dessous.

Ex. : *Nous avançons prudemment dans la galerie.*

1. L'endroit est complètement plongé dans l'obscurité.
2. Les stalactites sont vraiment magnifiques à voir.
3. Nous atteignons maintenant la cavité principale.
4. L'endroit est certainement peuplé d'animaux étranges.
5. Nous entendons seulement le bruit de nos pas sur le sol.
6. Là-bas, il y a des chauves-souris pendues au plafond.
7. Le guide dépose délicatement une chauve-souris dans la main de Sarah.
8. Ici, quelques gouttes d'eau perlent sur les murs.

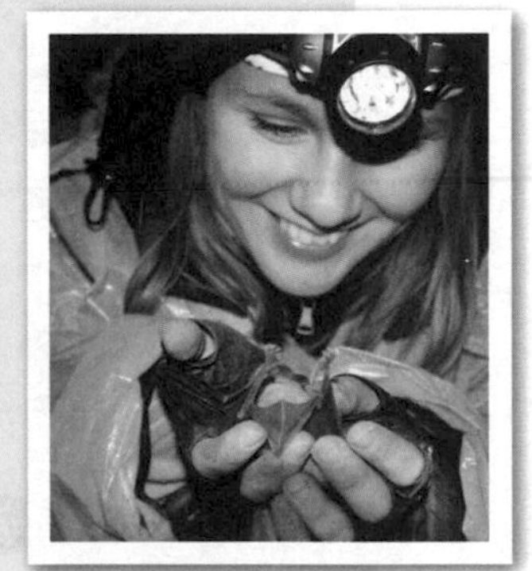

2 Un adverbe pourrait être ajouté au début du groupe adverbial que vous avez souligné dans deux des phrases ci-dessus.

a) Écrivez chacune de ces deux phrases en ajoutant un adverbe dans le groupe adverbial. Utilisez un adverbe différent dans chaque cas.

b) Soulignez ces nouveaux groupes adverbiaux ainsi formés.

Ex. : *Nous avançons bien prudemment dans la galerie.*

l'endroit est très certainement peuplé d'animaux étranges.

3 La compagnie Espace clos organise des excursions de spéléologie. Elle demande à tous ses clients de remplir le formulaire ci-dessous. Remplissez-le en utilisant les adverbes suggérés.

- assez bien
- assez rapidement
- bien
- lentement
- mal
- parfois
- passablement
- peu
- plus ou moins
- rapidement
- rarement
- souvent
- tout à fait
- très
- un peu

QUESTIONNAIRE

Ex. : *Je suis* très *en forme.*

1. J'ai __________ peur du noir.
2. Je me sens __________ à l'idée de rester longtemps sous terre.
3. Je respire __________ dans les petits espaces.
4. Je maîtrise __________ les techniques d'escalade.
5. Je réagis __________ dans les situations d'urgence.
6. Je pratique __________ des sports extrêmes.

4 Soulignez les adverbes utilisés pour organiser les idées dans le texte ci-dessous. Il y en a cinq, en incluant celui de l'exemple.

Prêts à partir !

Pour notre expédition, nous avons en premier lieu revêtu des combinaisons colorées offrant un séchage rapide et une bonne résistance. Nous avons aussi mis des chaussettes de laine afin d'avoir les pieds au chaud. Puis, nous avons chaussé des bottes de caoutchouc pour garder nos pieds au sec. Nous avons ensuite mis des casques à cause des risques de chutes de pierres. Enfin, nous avons ajusté nos lampes frontales sur nos casques.

Les phrases sont-elles correctes ?

La phrase de base

P 1re 2e

Comparer une phrase à la phrase de base permet d'identifier ses constituants.

- Une phrase de base est une phrase syntaxique qui se compose d'un sujet, d'un prédicat et, facultativement, d'un ou de plusieurs compléments de phrase (compl. de P).
- Elle est de type déclaratif et de forme positive.

sujet — prédicat — compl. de P

Ex. : *Les spécialistes surveillent les volcans au centre de recherche.*

p. 33, 36

Écrivez les phrases de base qui ont servi à construire les phrases transformées ci-dessous.

Ex. : *Est-ce que le Vésuve ensevelit la ville de Pompéi en l'an 79 ?*

Le Vésuve ensevelit la ville de Pompéi en l'an 79.

1. Le volcan détruit-il complètement la ville ?

Le volcan détruit complètement la ville.

2. Est-ce que les habitants arrivent à s'échapper avant l'éruption ?

Les habitants arrivent à s'échapper avant l'éruption.

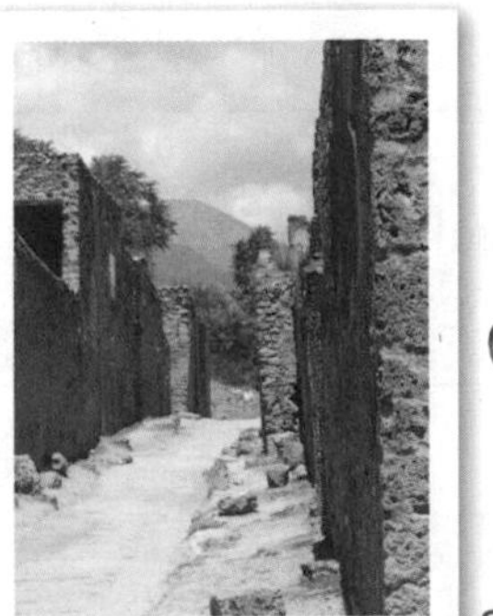

3. Les premières fouilles ne sont pas méthodiques.

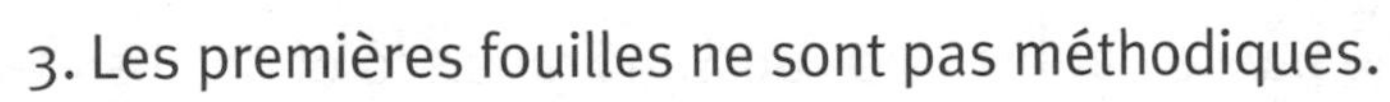

Les première fouille sont méthodique.

4. Comme cette cité est bien conservée !

Cette cité est bien conservée.

x * 5. Visitez-la pour faire un retour dans l'Antiquité.

Vous visitez la pour faire un retour dans l'Antiquité.

Nom : ______________________ Groupe : __________ Date : __________

Le sujet et le prédicat de la phrase

P 1re 2e

★ ★ ★

Savoir reconnaître le sujet et le prédicat dans une phrase permet de voir si elle est bien construite. Repérer le sujet de la phrase permet de bien accorder son verbe.

EN BREF

S + V

Le sujet et le prédicat sont les deux constituants essentiels de la phrase de base. Ils ne peuvent pas être effacés ni déplacés. Le prédicat est la fonction syntaxique exercée par le groupe verbal. Celui-ci est constitué au minimum d'un verbe conjugué. Le verbe peut posséder un ou plusieurs compléments.

Ex. : *Le centre de recherche* (sujet) *étudie les tremblements de terre.* (prédicat)

p. 27-28, 34-35

1 a) Récrivez les phrases ci-dessous en utilisant une manipulation syntaxique pour repérer les sujets.

b) Surlignez les sujets dans les phrases de départ.

Ex. : *Les appareils de surveillance enregistrent toutes les secousses.*

Ils enregistrent toutes les secousses.

ou *Ce sont les appareils de surveillance qui enregistrent toutes les secousses.*

Comment reconnaître le sujet de la phrase ? On peut le remplacer par un pronom de conjugaison. On peut aussi l'encadrer par *c'est... qui* ou *ce sont... qui.*

1. Benjamin et ses collègues évaluent le danger pour la population.

Ce sont Benjamin et ses collègues évaluent le danger pour la population

2. En cas d'alerte, un plan d'urgence est mis en place.

En cas d'alerte, c'est un plan d'urgence qui est mis en place.

3. En Californie, la faille de San Andreas cause régulièrement des séismes.

En Californie, c'est la faille de San Andreas qui cause régulièrement des séisme

4. Elle passe par les villes de San Francisco et de Los Angeles.

C'est elle qui passe par les villes de San Francisco et de Los Angeles

5. Afin de prévenir les catastrophes, les spécialistes la surveillent de près.

Afin de prévenir les catastrophe, ce sont les specialistes qui la surveillent près

Nom : ______________________ Groupe : ____________ Date : ______________

2 a) Surlignez le sujet dans chacune des phrases ci-dessous.

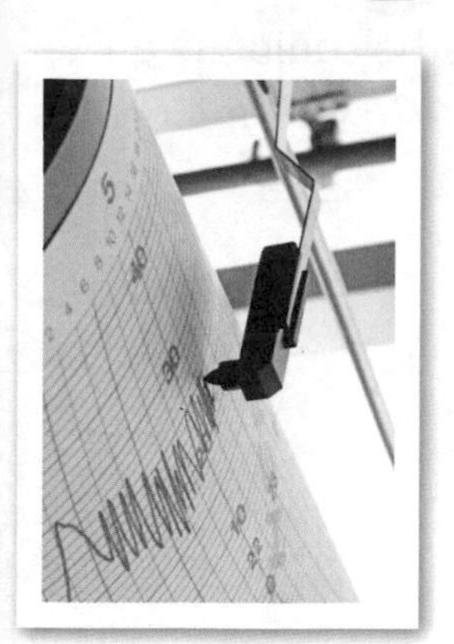

Ex. : *Les plaques tectoniques recouvrent la surface de la Terre.*

1. Elles se déplacent sans cesse.
2. Parfois, ces morceaux de l'écorce terrestre entrent en collision.
3. En se frappant, ils produisent un tremblement de terre.
4. Depuis 1935, les sismologues et autres spécialistes mesurent leur puissance avec l'échelle de Richter.
5. Au cours d'une année, le nombre de séismes s'élève à plus de trois millions.
6. La plupart ne sont pas assez forts pour être perceptibles.

b) Classez dans le tableau ci-dessous les mots ou les groupes de mots sujets que vous avez surlignés.

SUJETS		
GN	**PRONOMS**	**GN COORDONNÉS**
Ex. : *Les plaques tectoniques*		

3 Surlignez le prédicat dans chacune des phrases ci-dessous et soulignez le verbe noyau.

Ex. : *Megan participe à un exercice de simulation à l'école.*

1. Les élèves s'accroupissent au signal de leur enseignant.
2. Ils cherchent une table pour se mettre à l'abri.
3. Les adolescents protègent leur tête et leur cou.
4. Mégane et ses amis restent cachés jusqu'à la fin de l'exercice.
5. Les élèves répètent cet exercice tous les mois.
6. Ils regagnent leur place une fois l'exercice terminée.
7. Les tremblements de terre sont fréquents en Californie et au Japon.

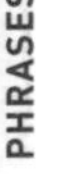

4 a) Surlignez le prédicat dans chacune des phrases ci-dessous.

b) Récrivez la phrase en remplaçant le prédicat par un verbe conjugué qui s'emploie seul, sans complément, comme les verbes : *arriver, disparaître, dormir* et *survenir.*

pas bien compris!

Ex. : *Le séisme cause plusieurs dégâts dans la ville.*

Le séisme survient dans la ville.

Comment reconnaître le prédicat de la phrase ? Il peut être remplacé par un groupe verbal formé d'un verbe qui s'emploie seul. Ex. : *Les gens courent se mettre à l'abri.* → *Les gens dorment.*

1. Rosa-Lee répare sa maison après la catastrophe.

arrive
Rosa-Lee déménage après la catastrophe

2. Mattéo ramasse les débris sur le terrain.

arrive
Matteo cueille sur le terrain.

3. Les routes sont fissurées çà et là.

disparaissent
Les route brisaient ça et là

4. Plusieurs bénévoles participent à la corvée de nettoyage.

dorment
Plusieur bénévole s'amusent

5 a) Dans les phrases ci-dessous, soulignez le sujet et surlignez le prédicat.

b) Précisez les types de phrases.

	TYPES DE PHRASES
Ex. : *Que les gens ont du courage !*	Ex. : *exclamatif*
1. Avez-vous ressenti le séisme jusqu'ici ?	interrogative
2. Regardons le reportage télévisé.	imperatif
3. Le pont est tombé entre les deux villes.	déclaratif
4. Ils n'ont plus d'électricité depuis hier.	déclaratif
5. Avez-vous nettoyé la maison ?	interrogative
6. Comme les dommages sont importants !	exclamatif
✲ 7. Aidez-nous à rebâtir notre maison.	impératif

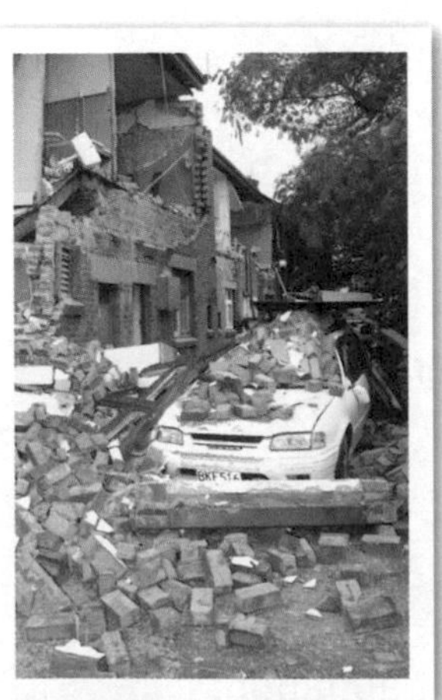

Nom : ______________________ Groupe : __________ Date : __________

Le complément de phrase

P 1re 2e

EN BREF

Le complément de phrase est un constituant facultatif de la phrase de base. Il ne dépend pas du groupe verbal, mais de l'ensemble de la phrase. Il peut être déplacé ou effacé.

Ex. : *Les météorologues ont signalé une tornade ce matin.*

→ *Ce matin, les météorologues ont signalé une tornade.*

→ *Les météorologues ont signalé une tornade.*

p. 35

Savoir reconnaître le complément de phrase permet de bien utiliser la virgule pour marquer son déplacement au début ou à l'intérieur de la phrase.

1 a) Dans les phrases ci-dessous, surlignez les compléments de phrases.

b) Vérifiez vos réponses en insérant les mots *et cela se passe* devant les compléments de phrase.

Ex. : *La ville entière est en état d'alerte* ↓*et cela se passe* *depuis l'annonce météorologique*.

Comment reconnaître le complément de phrase ? On peut insérer devant les mots *et cela se passe*.

1. Les autorités, ↓et cela se passe dans leurs communiqués, donnent des conseils à la population.
2. Le ciel s'assombrit ↓et cela se passe au-dessus de la plaine.
3. La tornade forme un entonnoir ↓et cela se passe entre le ciel et la terre.
4. ✲ Elle arrache tout sur ↓et cela se passe son passage ↓et cela se passe durant sa course folle.

2 Récrivez les phrases ci-dessous en ajoutant un complément de phrase à l'endroit indiqué entre crochets. ⚠ Utilisez une ou des virgules pour marquer son déplacement.

Ex. : *Justine et Théo regardent les nouvelles télévisées.* [à la fin]

Justine et Théo regardent les nouvelles télévisées pour s'informer.

1. Ils barricadent solidement les fenêtres. [à la fin]

Ils barricadent solidement les fenêtre en prévision de la tempête

2. La famille Prudence s'abritera au sous-sol. [au milieu]

?

3. Elle attendra la fin de la tornade. [au début]

?

Nom : ______________________ Groupe : __________ Date : __________

3 a) Surlignez le complément de phrase dans chacune des phrases ci-dessous.

b) Indiquez le type de précision qu'il apporte à la phrase à l'aide de la lettre appropriée.

A But. B Cause. C Lieu. D Temps.

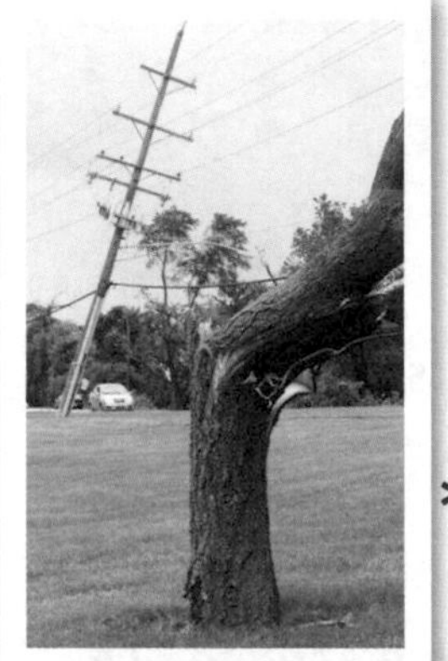

Ex. : *La semaine dernière, une puissante tornade a frappé la région.* D

1. Juste avant l'arrivée de la tornade, une grosse averse est tombée. DT
2. Elle a endommagé le toit de plusieurs maisons sur son passage. CL
3. Des arbres déracinés jonchent le sol à cause des vents violents. BC
4. ✲ Il y a des fils électriques qui traînent sur le sol en raison des poteaux brisés. BL
5. Les résidents s'entraident pour reprendre une vie normale. A

4 a) Surlignez les compléments de phrase dans le texte ci-dessous, puis récrivez le texte en supprimant ces compléments.

Les chasseurs de tornades

Les chasseurs de tornades poursuivent les cyclones dans le but de les observer et de les étudier. Ils utilisent un matériel sophistiqué pour prendre de belles photos et recueillir le plus de données possible. Plusieurs chasseurs partagent leurs informations avec des météorologues après avoir poursuivi une tornade. Ces chasseurs prennent des risques afin de mieux comprendre ces phénomènes. Ainsi, la population est mieux protégée.

Laure RAGE, *Naturophile*, vol. 1, n° 2, novembre 2011, p. 13. (Source fictive.)

Les chasseurs de tornades

Les chasseurs de tornades poursuivent les cyclones. Ils utilisent un materiel sophistiqué. plusieurs chasseurs partagent leur informations avec des méteorologues. ces chasseurs prennent des risques. Ainsi, la population est mieux protégée

b) Complétez la phrase suivante : Les informations supprimées dans le texte apportaient des précisions de but et de temps.

Nom : ______________________ Groupe : __________ Date : __________

PHRASES

Les phrases déclaratives, interrogatives, impératives et exclamatives

P 1re 2e
★ ★

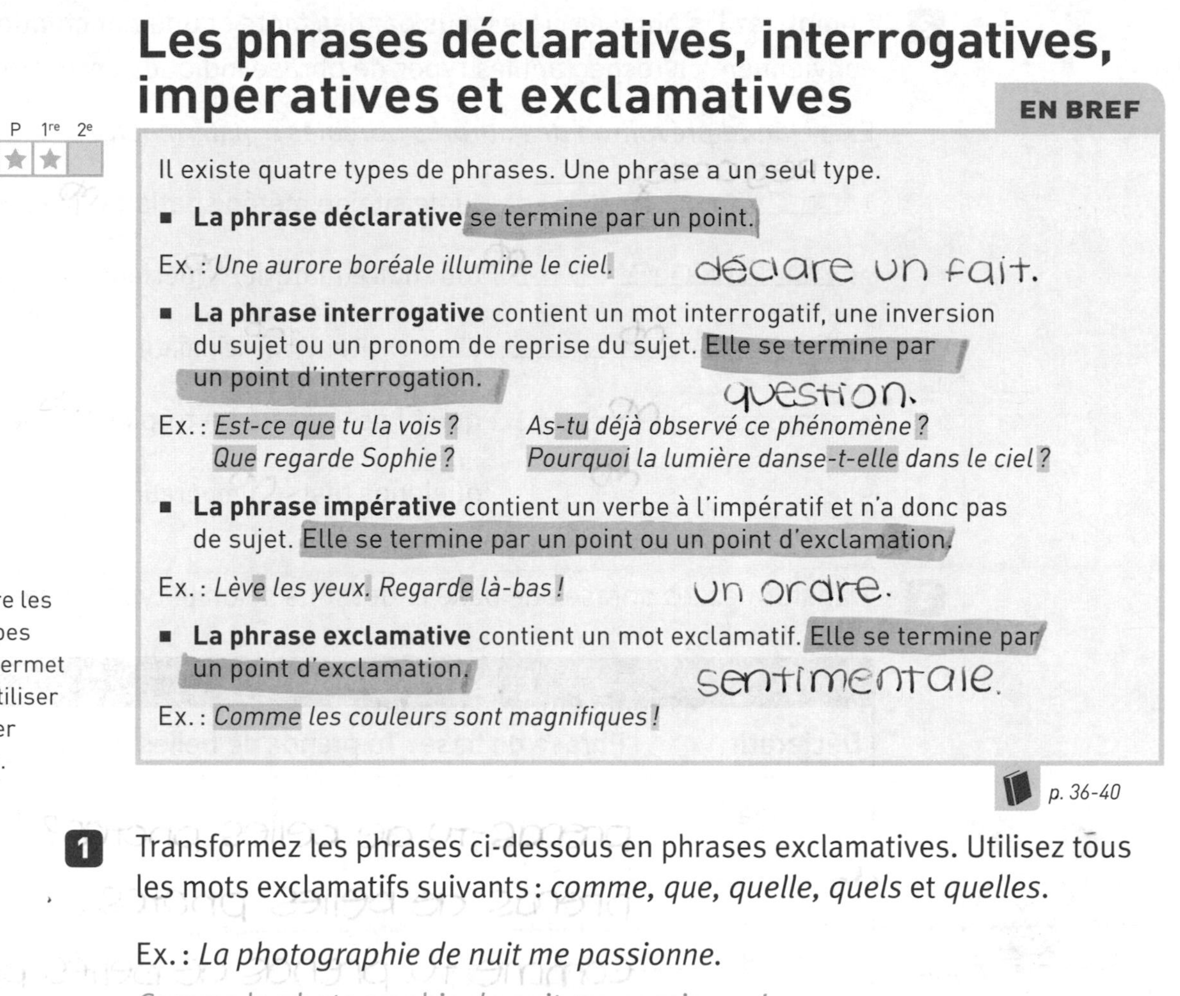

EN BREF

Il existe quatre types de phrases. Une phrase a un seul type.

- **La phrase déclarative** se termine par un point.

Ex. : *Une aurore boréale illumine le ciel.* déclare un fait.

- **La phrase interrogative** contient un mot interrogatif, une inversion du sujet ou un pronom de reprise du sujet. Elle se termine par un point d'interrogation. question.

Ex. : *Est-ce que tu la vois ?* *As-tu déjà observé ce phénomène ?*
Que regarde Sophie ? *Pourquoi la lumière danse-t-elle dans le ciel ?*

- **La phrase impérative** contient un verbe à l'impératif et n'a donc pas de sujet. Elle se termine par un point ou un point d'exclamation.

Ex. : *Lève les yeux. Regarde là-bas !* un ordre.

- **La phrase exclamative** contient un mot exclamatif. Elle se termine par un point d'exclamation. sentimentale.

Ex. : *Comme les couleurs sont magnifiques !*

Connaître les différents types de phrases permet de bien les utiliser pour exprimer son intention.

p. 36-40

1 Transformez les phrases ci-dessous en phrases exclamatives. Utilisez tous les mots exclamatifs suivants : *comme, que, quelle, quels* et *quelles*.

Ex. : *La photographie de nuit me passionne.*
Comme la photographie de nuit me passionne !

1. J'ai une chance inouïe ce soir.
Quelle
Que j'ai une chance inouïe ce soir!

2. La neige réfléchit la lumière.
Comme la neige réfléchit la lumière!

3. Cette aurore polaire est lumineuse.
Que
Quelle aurore polaire est lumineuse!

4. De magnifiques images défilent dans le ciel.
Quelles magnifiques images défilent dans le ciel!

5. Je garderai des souvenirs inoubliables de cette journée.
Quels souvenirs inoubliables de cette journée!

Nom : ______________________ Groupe : __________ Date : ______________

PHRASES

2 Complétez les phrases ci-dessous par des mots et une ponctuation finale qui conviennent en respectant les types de phrase indiqués entre crochets.

Ex. : *Quand prévoit-on des aurores boréales ? [interrogatif]*

1. ~~Travaille~~ Regarde sur le site de météo spatiale . [impératif]
2. Nous ramasons tout notre matériel . [déclaratif]
3. Comme c'est excitant ! [exclamatif]
4. Est-ce que tu as apporté un trépied ? [interrogatif]
5. Réussis quelques tests . [impératif]

3 Transformez les phrases de base ci-dessous selon le type demandé.

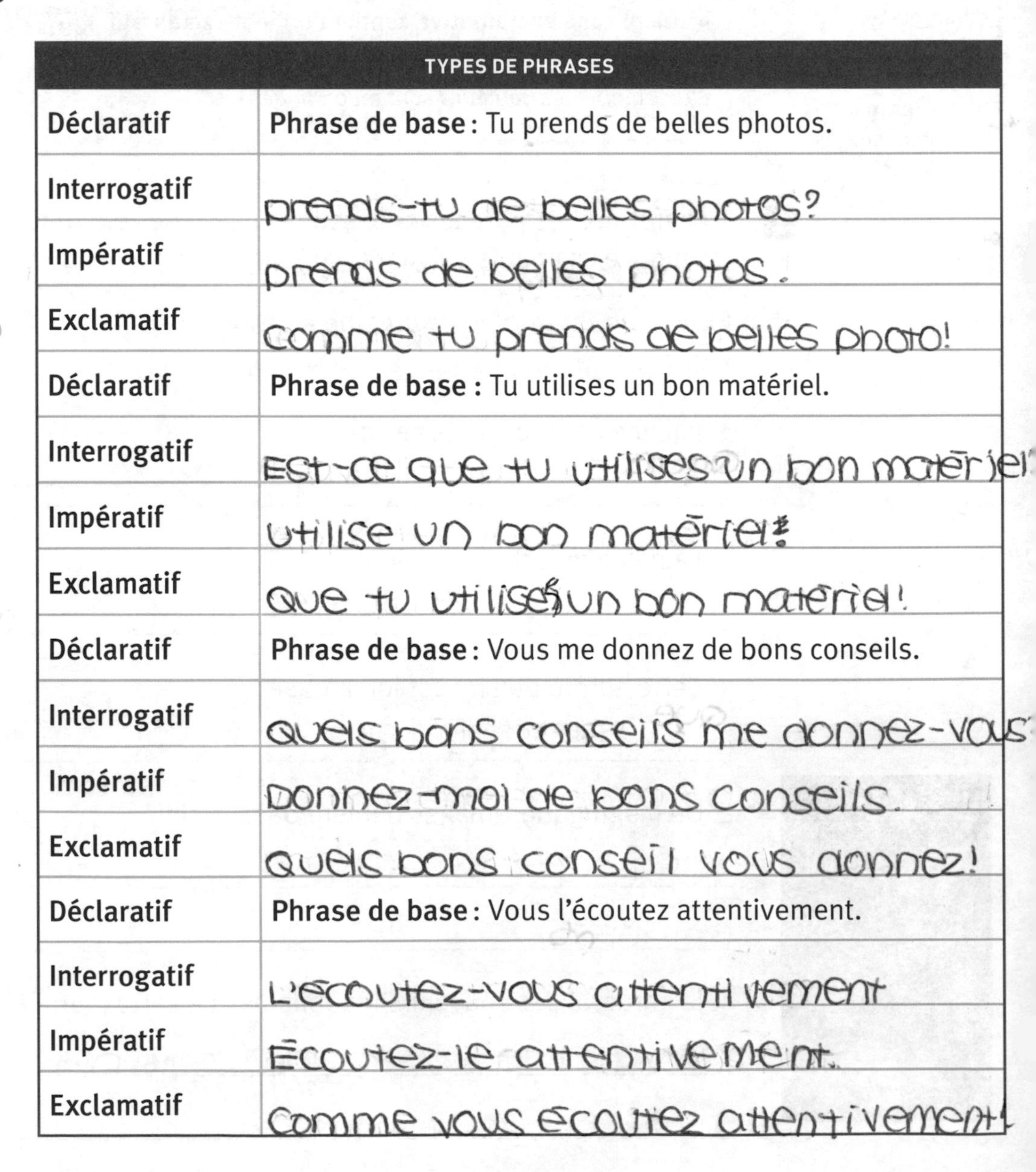

TYPES DE PHRASES	
Déclaratif	**Phrase de base :** Tu prends de belles photos.
Interrogatif	prends-tu de belles photos?
Impératif	prends de belles photos.
Exclamatif	comme tu prends de belles photo!
Déclaratif	**Phrase de base :** Tu utilises un bon matériel.
Interrogatif	Est-ce que tu utilises un bon matériel?
Impératif	utilise un bon matériel!
Exclamatif	Que tu utilises un bon matériel!
Déclaratif	**Phrase de base :** Vous me donnez de bons conseils.
Interrogatif	Quels bons conseils me donnez-vous?
Impératif	Donnez-moi de bons conseils.
Exclamatif	Quels bons conseil vous donnez!
Déclaratif	**Phrase de base :** Vous l'écoutez attentivement.
Interrogatif	L'écoutez-vous attentivement
Impératif	Écoutez-le attentivement.
Exclamatif	Comme vous écoutez attentivement!

Nom : ______________________ Groupe : __________ Date : __________

PHRASES

4 a) Dans chacune des phrases ci-dessous, soulignez le groupe de mots qui exerce la fonction indiquée entre crochets.

b) Écrivez une phrase interrogative qui porte sur ce groupe.
⚠ N'utilisez pas les mots interrogatifs *est-ce qui* et *est-ce que*.

Ex. : *[Compl. de P] Les aurores boréales sont nombreuses entre août et mars.*
Quand les aurores boréales sont-elles nombreuses ?

1. [Compl. de P] Elles sont plus visibles aux pôles Sud et Nord.

Où sont-elle plus visible?

2. [CI] La couleur des aurores boréales dépend de leur altitude.

De quoi la couleur des aurores boréale dépend t-elle?

✲ 3. [CD] Les aurores boréales suivent le champ magnétique terrestre.

Que suivent les aurores boréales?

4. [Sujet] Le peuple inuit croyait autrefois voir les esprits s'amuser.

Qui croyait autre fois voir les esprits s'amuser?

✲ 5. [Attribut du sujet] Leurs formes sont variées et pures.

Comment leur forme sont-elle

Encerclez les erreurs de construction dans les phrases ci-dessous, puis corrigez-les.

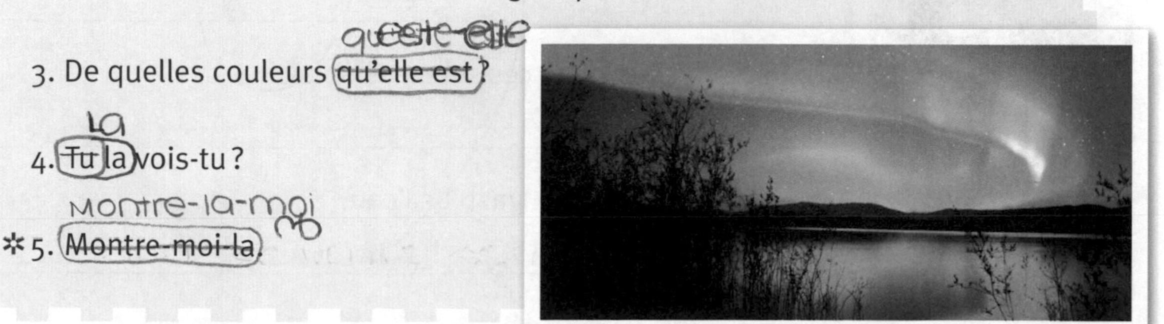

ERREURS !

Ex. : *Comment les aurores boréales se forment elles ?* (forment-elles)

1. Expliques-moi le rôle des particules du Soleil dans leur formation. (Explique)

2. Comme l'aurore boréale reste longtemps dans le ciel.

3. De quelles couleurs qu'elle est ?

4. Tu la vois-tu ? (La)

✲ 5. Montre-moi-la. (Montre-la-moi)

Nom : ______________________ Groupe : __________ Date : __________

Les phrases positives et négatives

P 1re 2e

EN BREF

- La phrase de forme négative se construit généralement en insérant l'adverbe *ne* et un autre mot de négation (ex. : *pas, plus, jamais, aucun, personne*, etc.) dans une phrase de forme positive.
- L'adverbe *ne* se place devant le verbe ou l'auxiliaire. Le second mot de négation se place souvent après le verbe ou l'auxiliaire, mais il peut aussi précéder l'adverbe *ne*.

Ex. : *Les habitants du village n'ont pas d'eau.*

Personne n'a d'eau.

p. 36, 40-41

1 Dans chacune des phrases ci-dessous, encerclez les mots de négation et précisez le type de la phrase.

Ex. : *N'avez-vous pas soif? Interrogatif.*

1. Comme la température n'est pas confortable ! exclamative
2. Qui ne tolère pas la chaleur ? interrogative
3. Personne ne reste sous le soleil. déclarative
4. Ne sors jamais sans protéger ta peau. impérative
5. Pourquoi ne pleut-il plus depuis des jours ? interrogative

2 a) Dans les phrases ci-dessous, encerclez l'adverbe *ne* ou *n'* et le mot de négation qui l'accompagne.

b) Récrivez les phrases en remplaçant le mot de négation qui accompagne *ne* ou *n'*. ⚠ Utilisez les mots : *aucun, personne* et *pas*. Apportez les autres modifications nécessaires, s'il y a lieu.

Ex. : *Il n'y a pas de puits. Il n'y a **aucun** puits.*

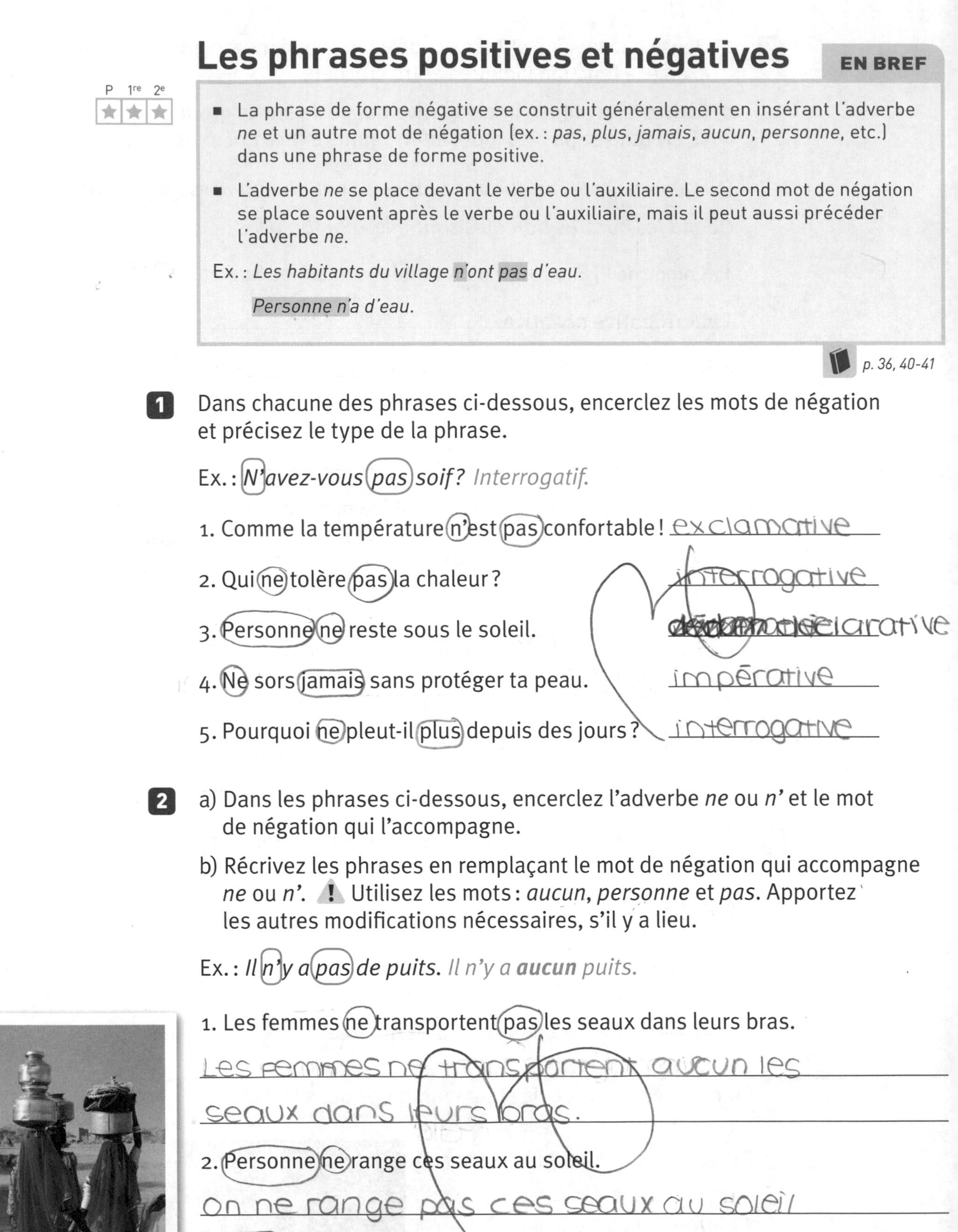

1. Les femmes ne transportent pas les seaux dans leurs bras.

Les femmes ne transportent aucun les seaux dans leurs bras.

2. Personne ne range ces seaux au soleil.

On ne range pas ces seaux au soleil

3. Aucun villageois ne gaspille l'eau.

Personne ne gaspille l'eau.

Nom : ________________ Groupe : ________ Date : ________

3 Transformez les phrases ci-dessous selon le type et la forme demandés.

Phrase 1 **Déclarative positive**	Les villageois ne craignent-ils pas la sécheresse ? Les villageois craignent la sécheresse.
Phrase 2 **Interrogative négative**	Allez puiser de l'eau. N'allez-vous pas puiser de l'eau?
Phrase 3 **Impérative négative**	Nous arrosons les plants dans les champs. N'arrosons pas les plantes dans les champs.
Phrase 4 **Exclamative négative**	La terre absorbe l'eau rapidement. Que la terre n'absorbe pas l'eau rapidement! ×
Phrase 5 **Exclamative positive**	Les animaux ne sont-ils pas assoiffés ? Comme les animaux sont assoifés!
Phrase 6 **Interrogative positive**	Tous les abreuvoirs sont vides. Est ce que tous les abreuvoirs sont vides? × Tous les abrevoirs sont-ils vides?
Phrase 7 **Déclarative négative**	Remplis les récipients à ras bord. Les récipients ne remplis pas à ras bord. Tu ne remplis pas les récipients à ras bord.
Phrase 8 **Impérative négative**	Comme nous espérons une grosse averse ! N'espérons pas une grosse averse.

Nom : ______________________ Groupe : __________ Date : __________

La phrase à présentatif et la phrase infinitive

EN BREF

- La phrase à présentatif débute par un présentatif comme *il y a, il y avait, voici, voilà, c'est* ou *c'était*.

Ex. : *Il y a un plan d'urgence.*

- La phrase infinitive est construite autour d'un verbe à l'infinitif.

Ex. : *S'informer en cas de sinistres.*

p. 43-44

a) Dans le texte ci-dessous, soulignez les phrases à présentatif et les phrases infinitives, puis encerclez les mots qui les caractérisent.

Mieux vaut prévenir...

Les catastrophes naturelles surviennent généralement de manière subite. Il y a des précautions à prendre. Par exemple, une trousse d'urgence reste toujours pratique.

Voici quelques articles à mettre dans sa trousse.

1. Des vêtements de rechange. (Choisir des vêtements confortables.)
2. Un sac de couchage.
3. Une trousse de toilette.
4. Une lampe de poche et une radio à piles.
5. Des crayons et du papier.
6. Un sifflet.
7. Des bouteilles d'eau et des aliments secs. (Les renouveler une fois par année.)
8. Des allumettes, un briquet et des chandelles.

Ranger le tout dans un sac à dos ou dans un sac de sport.

Il est aussi conseillé de préparer un plan d'action et de repérer des lieux de refuge.

Bruno LESAGE, *Naturophile*, vol. 1, n° 2, décembre 2011, p. 12. (Source fictive.)

b) Rédigez, sous forme de phrases infinitives, deux conseils à propos des articles à placer dans la trousse, comme pour les articles 1 et 7.

Article 1 : choisir des vêtements confortables

Article 7 : les renouveler une fois par année

Pour faire le point

Les phrases – 1

p. 33-44

1 Lisez le texte ci-dessous, puis répondez aux questions qui suivent.

Les couleurs de l'arc-en-ciel

Un bel après-midi d'été, les couleurs papotaient gentiment. Le ton monta lorsqu'elles se mirent à discuter de leur importance. Comme elles se vantaient à tour de rôle !

Le vert dominait dans la nature. Il était la couleur 5 **de l'espoir.** Le bleu prétendait être à la base de toute vie, car l'eau était bleue. **Il représentait le calme et la paix.** **Le jaune, associé au soleil, apportait joie, chaleur et gaieté.** L'orange donnait la force et la santé, car les aliments remplis de vitamines comme les citrouilles avaient cette couleur. 10 Le rouge estimait être le chef, car il était la couleur du sang, du danger et de l'amour. Le pourpre, lui, désignait la royauté et le pouvoir. Les chefs aimaient s'habiller de pourpre. **L'indigo, couleur de l'ombre, symbolisait le silence et la réflexion.**

15 Ainsi, les couleurs ne cessaient d'argumenter. Puis, une vraie dispute éclata. Au même moment, elles entendirent le tonnerre gronder et un éclair traversa le ciel. C'était l'orage. La pluie se mit à tomber. Apeurées, les couleurs se serrèrent.

La pluie dit : « **Allez-vous cesser?** Vous êtes différentes, 20 mais chacune d'entre vous est importante. Donnez-vous la main. » **Les couleurs se turent.**

« **Écoutez bien.** Désormais, lorsqu'il pleuvra, vous formerez en harmonie un bel arc de couleur dans le ciel. **Les jours de pluie, vous apparaîtrez pour donner l'exemple au monde.** »

D'après une légende amérindienne.

Nom : ______________________ Groupe : __________ Date : __________

2 Dans les phrases en gras :
- soulignez le sujet ;
- surlignez le prédicat ;
- encadrez le complément de phrase.

3 a) Dans le texte, relevez quatre phrases qui sont de type exclamatif, interrogatif ou impératif et précisez leur type.

PHRASES	TYPES DE PHRASES

b) Écrivez les phrases de base qui ont servi à construire les phrases relevées en a).

____

____

____

____

4 Relevez, dans le texte :

une phrase négative ;

____

une phrase à présentatif.

____

TEXTE *EXPRESS*

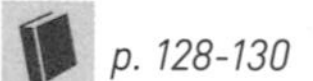
p. 128-130

La culture amérindienne est riche de légendes. Certaines de ces légendes, transmises de génération en génération, racontent à leur manière l'origine des phénomènes naturels.

■ ■ ■

Imaginez une histoire semblable à celle de la page précédente pour expliquer l'origine d'un phénomène naturel de votre choix. Racontez-la dans un récit d'environ 125 mots.

■ ■ ■

1 Reportez-vous au schéma narratif pour rédiger votre récit.

2 Utilisez une phrase à présentatif pour présenter le sujet de votre histoire. Surlignez-la.

3 Insérez dans votre texte au moins une phrase qui n'est pas de type déclaratif et soulignez-la.

Nom : ______________________ Groupe : ____________ Date : ____________

Le complément du nom

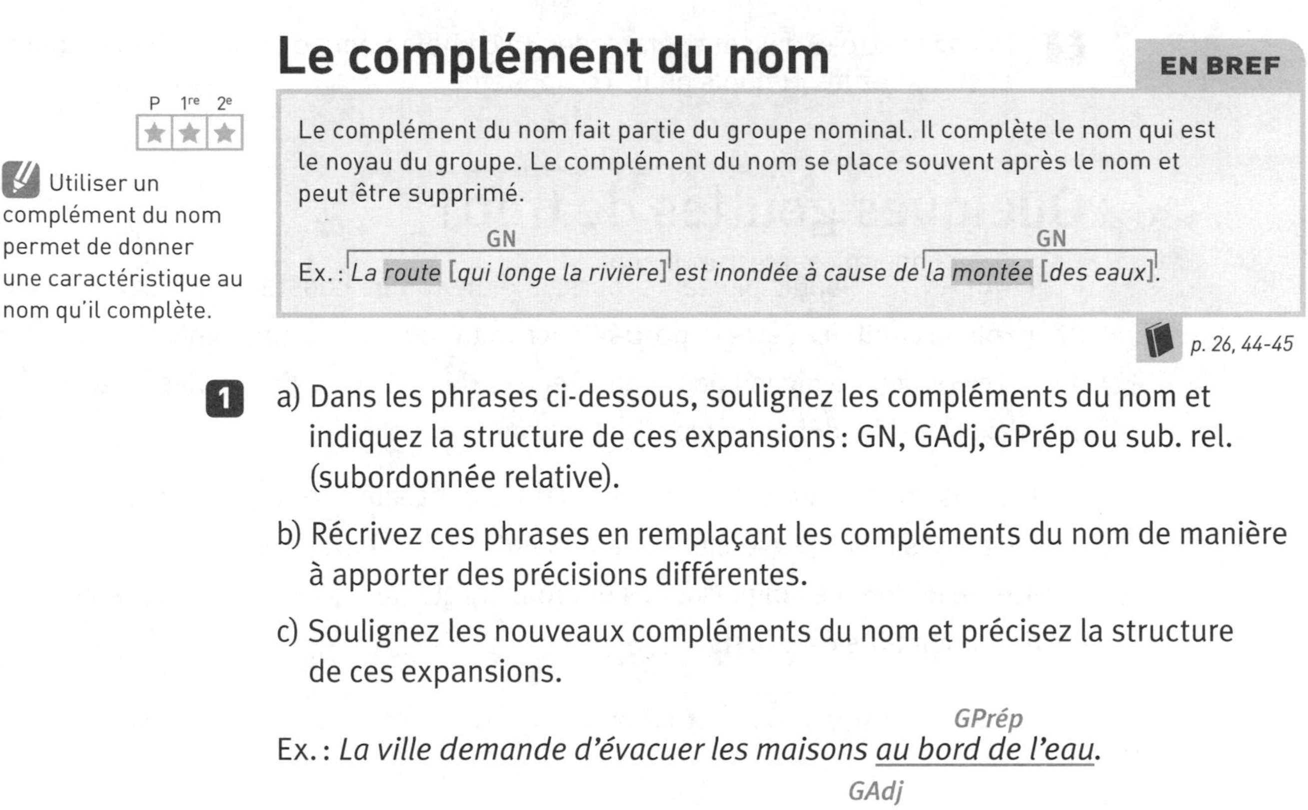

P 1re 2e ★★★

Utiliser un complément du nom permet de donner une caractéristique au nom qu'il complète.

EN BREF

Le complément du nom fait partie du groupe nominal. Il complète le nom qui est le noyau du groupe. Le complément du nom se place souvent après le nom et peut être supprimé.

Ex. : *La* ***route*** *[qui longe la rivière]* (GN) *est inondée à cause de la* ***montée*** *[des eaux]* (GN).

p. 26, 44-45

1 a) Dans les phrases ci-dessous, soulignez les compléments du nom et indiquez la structure de ces expansions : GN, GAdj, GPrép ou sub. rel. (subordonnée relative).

b) Récrivez ces phrases en remplaçant les compléments du nom de manière à apporter des précisions différentes.

c) Soulignez les nouveaux compléments du nom et précisez la structure de ces expansions.

Ex. : *La ville demande d'évacuer les maisons <u>au bord de l'eau</u>* (GPrép)*.*

La ville demande d'évacuer les maisons <u>inondées</u> (GAdj)*.*

1. Les gens utilisent des embarcations de fortune pour se déplacer.

____

____

2. Certaines personnes qui ont besoin d'aide attendent toujours les premiers secours.

____

____

3. Les volontaires, qui sont venus de partout, empilent des sacs de sable pour retenir l'eau.

____

____

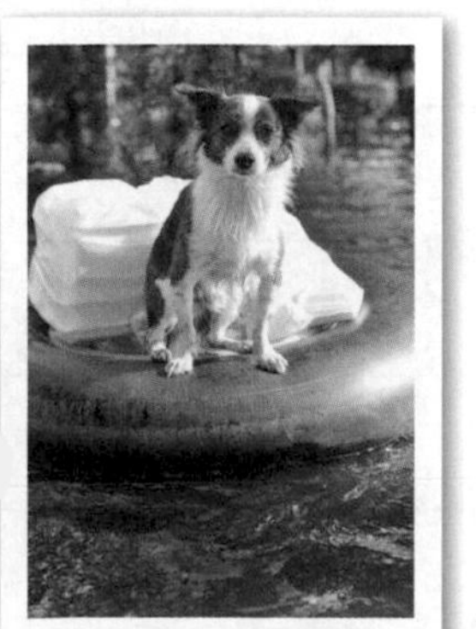

4. La rivière Richelieu cause des dégâts matériels en Montérégie.

____

____

Nom : ______ Groupe : ______ Date : ______

2 Dans le texte ci-dessous, placez les 12 compléments du nom entre crochets et surlignez les 11 noms qu'ils complètent.

Quelques gouttes de trop !

THAÏLANDE : Depuis plusieurs jours, la pluie tombe constamment à Bangkok, la capitale. Cette importante accumulation d'eau augmente dangereusement le niveau des canaux et des rivières. Certaines voies d'eau ont d'ailleurs déjà débordé, inondant les zones à proximité.

Les autorités gouvernementales ont donc conseillé à toute la population de mettre ses biens personnels à l'abri d'autres inondations. Elles ont fait construire de longues digues à des endroits stratégiques en vue de contenir les débordements éventuels.

Fabien MAUVAIS, *Le Rapporteur*, 31 octobre 2011, p. 2. (Source fictive.)

3 Soulignez les compléments du nom dans le texte ci-dessous. Puis, récrivez le texte en supprimant ces compléments.

Comme une immense piscine !

Certaines rues de Bangkok sont complètement inondées. Les gens impuissants pataugent dans plus ou moins d'eau selon les secteurs de la ville. Plusieurs automobilistes prudents ont garé leur voiture dans les stationnements étagés au cas où l'eau continuerait de monter.

Les jeunes enfants, eux, s'amusent dans cette immense piscine !

Fabien MAUVAIS, *Le Rapporteur*, 31 octobre 2011, p. 3. (Source fictive.)

Nom : ______________________ Groupe : __________ Date : ______________

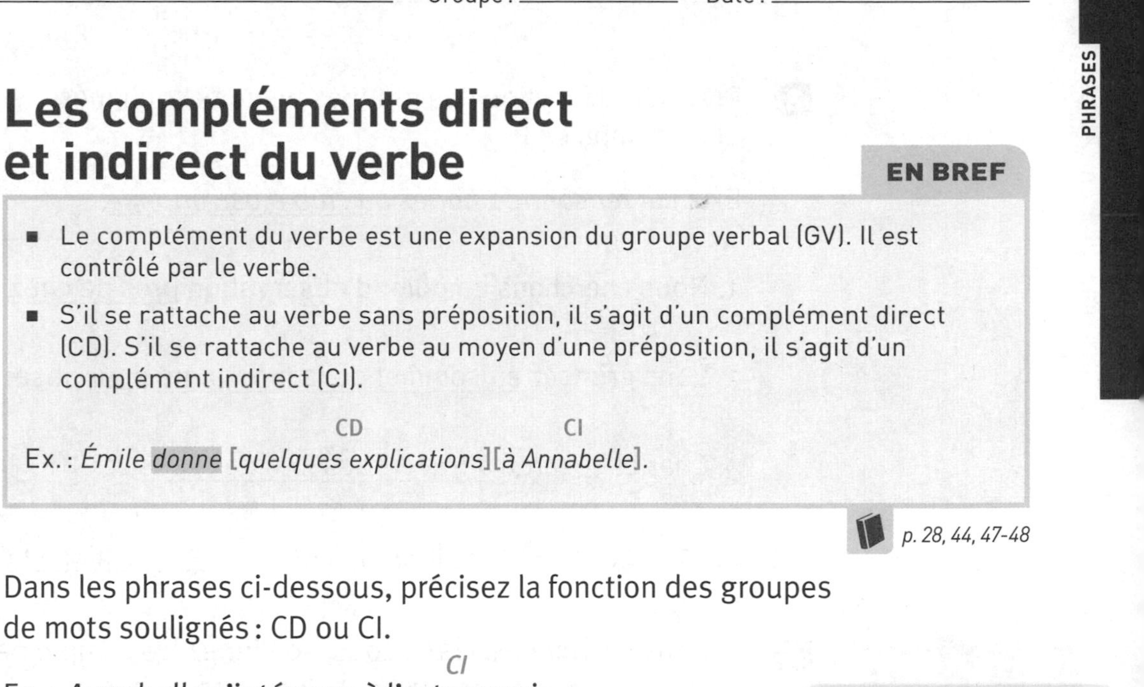

P 1re 2e

Les compléments direct et indirect du verbe

EN BREF

- Le complément du verbe est une expansion du groupe verbal (GV). Il est contrôlé par le verbe.
- S'il se rattache au verbe sans préposition, il s'agit d'un complément direct (CD). S'il se rattache au verbe au moyen d'une préposition, il s'agit d'un complément indirect (CI).

Ex. : *Émile* donne *[quelques explications]*CD *[à Annabelle]* CI.

p. 28, 44, 47-48

1 Dans les phrases ci-dessous, précisez la fonction des groupes de mots soulignés : CD ou CI.

Comment reconnaître les compléments du verbe ? Le CD peut être remplacé par *quelqu'un* ou *quelque chose*. Le CI peut être remplacé par une préposition (*à*, *de*, *par*, *chez*, etc.) suivie de *quelqu'un* ou *quelque chose*.

Ex. : *Annabelle s'intéresse à l'astronomie.* (CI)

1. Elle se rend à l'observatoire toutes les semaines.

2. L'observatoire dispose d'un équipement de haute technologie.

3. Son ami, le professeur Mercure, guide ses observations.

4. Il pointe le télescope sur une nébuleuse.

5. Émerveillée, elle observe ses jolies couleurs.

2 Dans les phrases ci-dessous, soulignez les compléments directs du verbe d'un trait et les compléments indirects du verbe de deux traits.

Ex. : *Ce soir, Charles et Annabelle observeront les perséides.*

1. Ils ont convenu d'un rendez-vous.
2. Couchés dans l'herbe, ils regardent le ciel étoilé.
3. Ils ont apporté des lampes de poche pour s'éclairer.
4. Des milliers d'étoiles traversent le ciel.
5. Ils profitent d'une nuit sans lune.
6. À la campagne, loin de la pollution lumineuse, ils ont des conditions idéales.

Nom : ______________________ Groupe : __________ Date : __________

PHRASES

3 Précisez la fonction des groupes de mots soulignés : CI ou compl. de P.

Ex. : *J'ai rencontré Charles au club d'astronomie.* (compl. de P : *au club d'astronomie*)

1. Nous cherchons un point d'observation près de chez nous.
2. Vous grimpez au sommet de la montagne pour observer le ciel.
3. Charles regarde à travers ses longues vues.
4. Ils ont trouvé un endroit intéressant à moins d'un kilomètre.

4 a) Dans les phrases ci-dessous, soulignez les compléments directs du verbe et surlignez les compléments indirects du verbe.

b) Utilisez les remplacements présentés dans la marge à la page 47 pour vérifier vos réponses.

Ex. : *Annabelle observe l'éclipse solaire.* (quelque chose : *l'éclipse solaire*) Elle porte des lunettes de protection. La Lune cache le Soleil durant plusieurs minutes. L'astre lunaire lui paraît alors orangé vif. La jeune astronome le regarde depuis l'observatoire. Le satellite de la Terre ressemble à une grosse orange.

5 Dans les phrases ci-dessous, précisez la fonction des groupes de mots soulignés : CD, CI ou compl. de P.

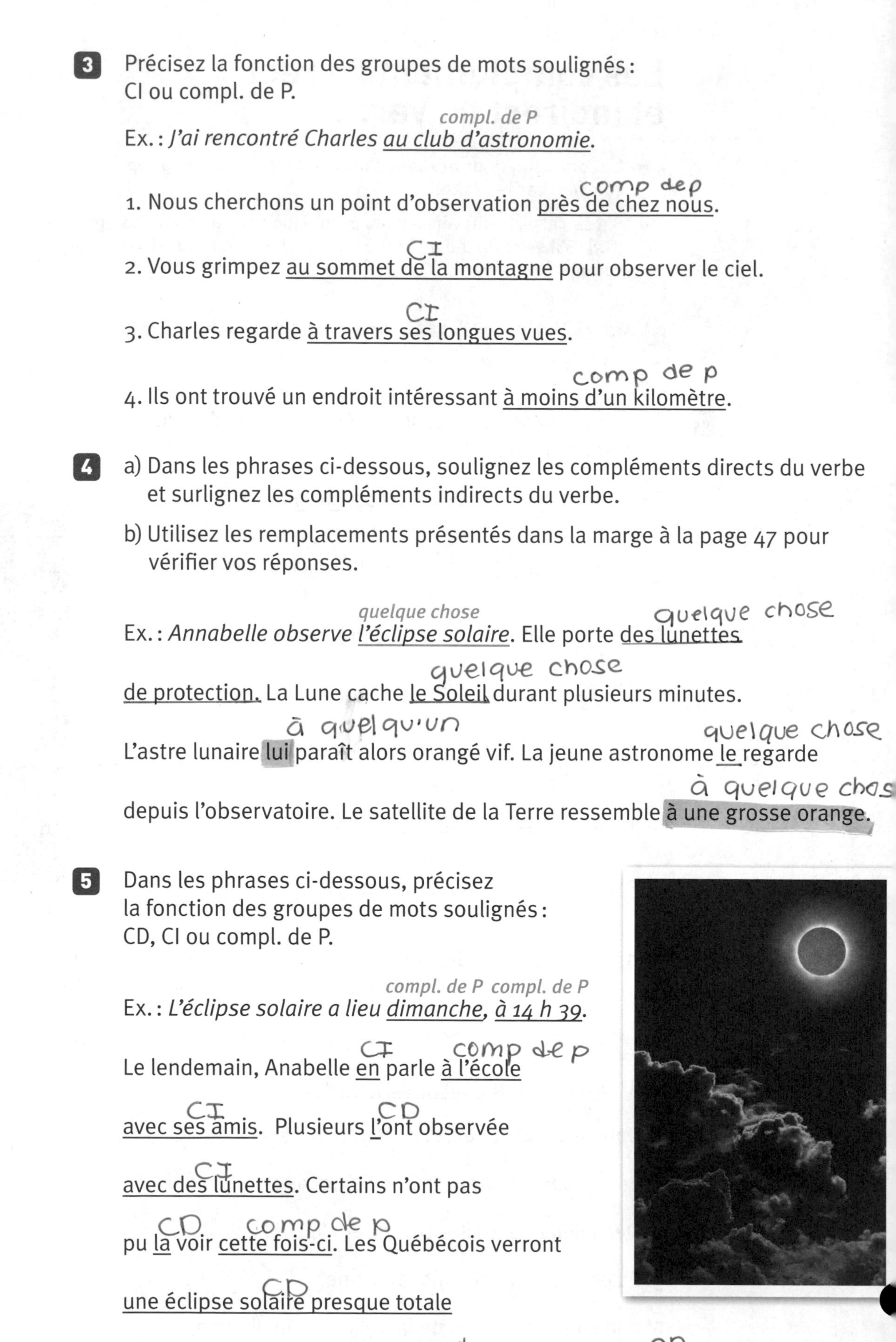

Ex. : *L'éclipse solaire a lieu dimanche, à 14 h 39.* (compl. de P : *dimanche* ; compl. de P : *à 14 h 39*)

Le lendemain, Anabelle en parle à l'école avec ses amis. Plusieurs l'ont observée avec des lunettes. Certains n'ont pas pu la voir cette fois-ci. Les Québécois verront une éclipse solaire presque totale le 8 avril 2024. À 15 h 30, ce jour-là, la Lune cachera le Soleil à 99 %.

Nom : ______________ Groupe : ______________ Date : ______________

L'attribut du sujet

P 1re 2e

EN BREF

L'attribut du sujet fait partie du groupe verbal dont le noyau est le verbe *être* ou un autre verbe attributif (*demeurer, devenir, paraître, rester, sembler*, etc.).
Il ne peut pas être supprimé ni déplacé.

Ex. : *Les sources de Pamukkale, en Turquie, sont [thérapeutiques].*

Les eaux de ces sources semblent [un bienfait].

p. 16-17, 44, 49-50

1 Soulignez les attributs du sujet dans les phrases ci-dessous.

Ex. : *Les stations thermales demeurent un incontournable en Turquie.*

Comment reconnaître un verbe attributif ? Il peut être remplacé par le verbe *être*.

1. L'eau chaude est remplie de sels minéraux.
2. Les baigneurs paraissent très détendus dans les bassins.
3. Les gens semblent soulagés de leurs maux après quelques visites.
4. ✲ L'ambiance est calme et reposante.
5. L'expérience reste inoubliable.
6. Les stations thermales sont des établissements populaires dans ce pays.

2 a) Certaines phrases ci-dessous contiennent des verbes attributifs. Remplacez-les par le verbe *être*.

b) Soulignez les attributs du sujet et surlignez les compléments du verbe.

Ex. : *Sarah et Olivier paraissent* (sont) *éblouis en arrivant sur les lieux.*

1. Ils admirent la vue sur la montagne.
2. La falaise semble recouverte de sel.
3. Les cascades ressemblent à un immense château blanc.
4. Elles deviennent un château scintillant dès que le soleil apparaît.
5. Les sels solidifiés forment de multiples sculptures au fil du temps.

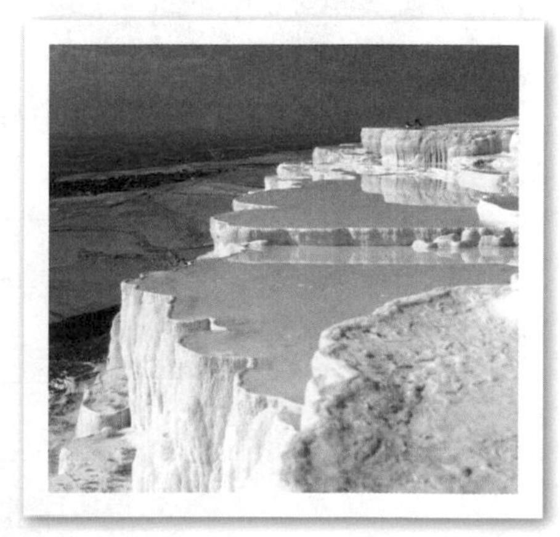

Nom : ______________________ Groupe : __________ Date : __________

Le modificateur

EN BREF

Un modificateur est le plus souvent un groupe adverbial qui précise ou change le sens d'un verbe, d'un adjectif ou d'un adverbe.

Ex. : *La pluie tombe (V) [continuellement] (GAdv) durant la mousson indienne.*

p. 44, 51

1 a) Dans les phrases ci-dessous, soulignez les adverbes, puis reliez-les aux mots dont ils précisent ou changent le sens.

Ex. : *Les rues de la ville sont complètement inondées.*

1. Le tramway ne fonctionne plus depuis quelques jours.
2. Kayla patauge difficilement dans l'eau pour se rendre à l'école.
3. Elle s'abrite pour ne pas se mouiller.
4. Elle a un air légèrement renfrogné, car ses livres sont un peu tempés.

✲ b) Parmi ces adverbes, surlignez ceux qui changent complètement le sens des verbes.

2 Récrivez les phrases ci-dessous en ajoutant des adverbes permettant de préciser le sens des mots en gras.

Ex. : *La terre est **desséchée** dans les champs.*

La terre est complètement desséchée dans les champs.

1. L'eau **entre** dans le sol.

____

2. Les jeunes pousses **revivent**.

____

3. Une forte pluie est **nécessaire**.

____

4. Les agriculteurs sont **heureux** de voir tomber la pluie.

____

____

✲ 5. Les récoltes risquaient d'être **trop** maigres.

____

Pour faire le point

Les phrases – 2

p. 44-51

1 a) Lisez le texte ci-dessous, puis répondez aux questions qui suivent.

Nouvelle lune

L'**ongle** de la lune repousse.

Le soleil a disparu. On se retourne. La lune est présente. Elle suivait, sans rien dire, modeste et patiente imitatrice.

5 La **lune** exacte est revenue. L'homme attendait, le **cœur** comprimé dans les ténèbres, si heureux de la voir qu'il ne sait plus ce qu'il voulait lui dire.

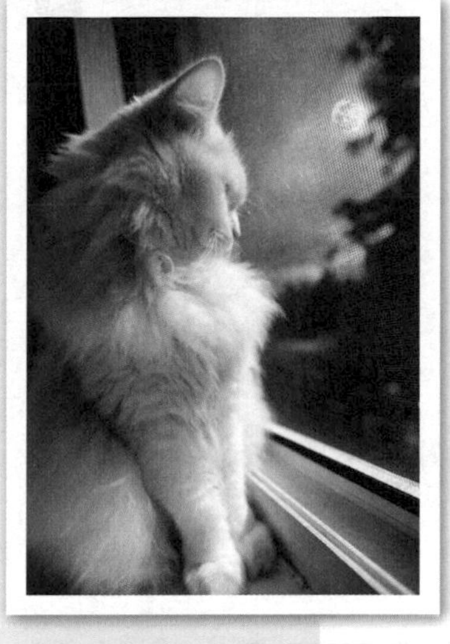

De gros **nuages** blancs s'approchent de la pleine **lune**
10 comme des ours d'un **gâteau** de miel.

Le rêveur s'épuise à regarder la lune sans aiguilles et qui ne marque rien.

On se sent tout à coup mal à l'aise. C'est la lune qui s'éloigne et emporte nos secrets. On voit encore le **bout**
15 de son oreille à l'horizon.

Adapté de Jules RENARD (1864-1910), *Histoires naturelles*.

 **2** a) Soulignez les expansions des mots mis en gras dans le texte. Ces expansions ont la fonction de complément du nom.

b) Au-dessus de ces expansions, écrivez leur structure : GAdj ou GPrép.

3 Relevez les expansions qui sont compléments des verbes ci-dessous et précisez si ces expansions sont CD ou CI.

VERBES	COMPLÉMENTS DU VERBE	CD OU CI
s'approchent (ligne 9)		
emporte (ligne 14)		
voit (ligne 14)		

4 a) Entre les lignes 1 et 4, relevez une phrase qui contient un GV dont le noyau est un verbe attributif.

______

b) Récrivez cette phrase en remplaçant le verbe attributif par un autre verbe attributif.

______

5 a) Relevez, entre les lignes 5 et 12, des adverbes de négation qui modifient des verbes.

______

b) Précisez quels sont les deux verbes modifiés par ces adverbes.

______

TEXTE *EXPRESS*

p. 128-130

Le tourisme spatial, ce n'est plus de la science-fiction. Bien sûr, ce genre de voyage coûte des sommes colossales, mais c'est maintenant un rêve réalisable pour certaines personnes. D'ici un nombre d'années indéterminé, les gens pourront peut-être aller marcher sur la lune.

■ ■ ■

Reportez-vous dans le futur. On vous invite à aller passer des vacances sur la lune. Racontez cette expérience inoubliable dans un texte d'environ 125 mots. Insérez dans votre texte au moins un passage pour décrire le paysage lunaire.

■ ■ ■

1 Dans votre texte, soulignez d'un trait les groupes du nom. Vérifiez si vous avez utilisé au moins trois expansions qui précisent le nom noyau du GN. Sinon, faites les ajouts nécessaires.

2 Insérez une phrase qui contient un verbe attributif pour exprimer ce que vous ressentez durant ce long voyage. Soulignez-la de deux traits.

3 Utilisez au moins un adverbe pour modifier le sens d'un verbe ainsi qu'un autre pour modifier le sens d'un adjectif. Surlignez-les.

Nom : ______________________ Groupe : __________ Date : __________

La phrase syntaxique

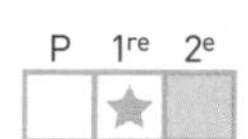

EN BREF

- Une phrase syntaxique ne correspond pas toujours à une phrase graphique. La phrase graphique peut contenir une ou plusieurs phrases syntaxiques.
- Dans une phrase graphique, il y a au moins autant de phrases syntaxiques que de verbes conjugués.

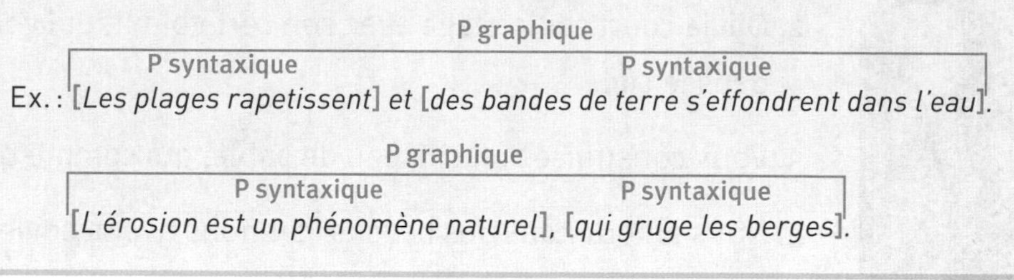

p. 34

1 a) Dans le texte ci-dessous, soulignez les 16 verbes conjugués.

b) Mettez les phrases syntaxiques entre crochets.

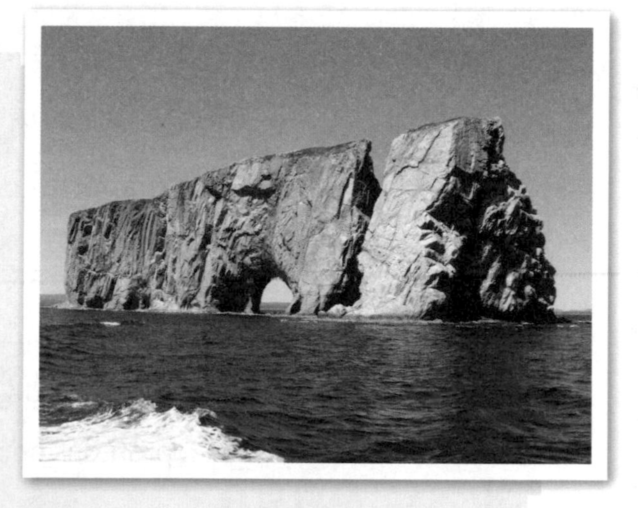

Le rocher Percé

Le rocher Percé se compose de deux grosses masses de pierres qui baignent dans le fleuve St-Laurent. L'érosion, qui est un processus naturel causé par l'eau et le vent, n'épargne pas ce colosse. Un immense trou en témoigne dans le centre du rocher, mais il y en a déjà eu deux ! En effet, jusqu'en 1845, une arche reliait les deux rochers avant que l'eau ne l'effrite.

Aujourd'hui, l'érosion continue et le réchauffement climatique en accélère le rythme. Il est maintenant interdit de marcher près du rocher, car des tonnes de pierres en tombent chaque année. Les touristes se contentent donc de l'observer à distance. Certains sont déçus de ces directives, mais la sécurité prime.

Selon les prévisions, le rocher devrait disparaître d'ici 400 ans. Toutefois, des mesures préventives pourraient ralentir son érosion.

Nicholas LAPIERRE, *Naturophile*, vol. 1, n° 3, décembre 2011, p. 15. (Source fictive.)

2 Dans les phrases graphiques ci-dessous, encerclez les mots utilisés pour relier les phrases syntaxiques.

Ex. : *La plage est magnifique, (mais) l'eau n'est pas si chaude.*

1. Je ramasse des coquillages lorsque la marée est basse.
2. Olivia court sur la plage avec son cerf-volant, qui vole très haut dans le ciel.
3. Vous construisez un château de sable, qui compte quatre tours.
4. Nous empruntons des kayaks, car nous avons envie de faire une balade sur l'eau.

3 Écrivez les deux phrases syntaxiques qui ont servi à construire les phrases graphiques ci-dessous.

Ex. : *Nous empruntons la route 132, qui longe le fleuve.*

Nous empruntons la route 132. / La route 132 longe le fleuve.

1. Nous arrêtons dans les petits villages lorsque nous sommes fatigués.

____

____

2. Durant ces haltes, nous nous dégourdissons les jambes et nous en profitons pour manger un peu.

____

____

3. Le voyage est long, mais la route est belle durant tout le trajet.

____

____

✲ 4. Nous dormons dans une petite auberge, qui nous semble sympathique, après une première journée de route.

____

____

____

Nom : ______________________________ Groupe : ____________ Date : ______________

La juxtaposition de phrases

P 1re 2e

EN BREF

La juxtaposition de phrases consiste à relier deux ou plusieurs phrases de même niveau syntaxique, c'est-à-dire des phrases qui ne dépendent pas l'une de l'autre. On utilise alors les signes de ponctuation suivants : la virgule, le deux-points et le point-virgule. La juxtaposition se fait sans coordonnant ni subordonnant.

Ex. : *[Un arc-en-ciel apparaît dans le ciel]* **:** *[le soleil traverse les gouttes de pluies]*.[explication]

p. 51

Juxtaposer des phrases en utilisant un signe de ponctuation permet de créer des liens entre elles.

1 a) Ajoutez les signes de ponctuation pour relier les phrases ci-dessous.

b) Expliquez leur emploi en écrivant au-dessus : addition, explication, cause, lien rapproché.

Ex. : *La lumière solaire est blanche* **:** *elle est la somme de toutes les couleurs.* (explication)

1. Les gouttes de pluie agissent comme des prismes ☐ elles décomposent la lumière.
2. Enfilez votre imperméable ☐ sortez de la maison et venez admirer l'arc-en-ciel.
3. L'arc-en-ciel n'est plus visible ☐ des nuages cachent le soleil.
4. Je vois assez bien l'arc-en-ciel ☐ je distingue toutes ses couleurs.

Comment établir la relation entre deux phrases liées par un signe de ponctuation ? On remplace le signe de ponctuation par un coordonnant approprié. Ex.: *L'herbe est très verte: (car) il a beaucoup plu.*

2 Dans les phrases graphiques ci-dessous, insérez un deux-points pour séparer les phrases syntaxiques.

ERREURS !

Ex. : *Le fermier arrose son champ : le jet d'eau forme un arc-en-ciel.*

1. Une tache d'huile perle sur l'asphalte sous un certain angle, des couleurs apparaissent à la lumière du soleil.
2. ✲ Des bulles de savon s'élèvent dans le ciel ensoleillé elles sépareront la lumière comme des gouttes de pluie.
3. Les arcs-en-ciel ont été l'objet de mythes et de légendes à une certaine époque, ils ont inspiré de nombreux conteurs.

Nom : ______ Groupe : ______ Date : ______

La coordination de phrases

EN BREF

La coordination de phrases s'effectue au moyen de coordonnants comme *mais*, *ou*, *et*, *car*, *ni*, *or*, *toutefois*, *cependant*, *c'est pourquoi*, *ensuite*, etc. Ils n'ont pas de fonction syntaxique dans la phrase.

Ex. : [*La population doit se mettre à l'abri*], car [*sa sécurité est en jeu*].

p. 21-22, 52-54

P 1re 2e

Coordonner des phrases en utilisant un coordonnant permet de créer des liens entre elles.

Formez des phrases graphiques en coordonnant une phrase de la colonne de gauche à une phrase de la colonne de droite. ! N'oubliez pas la virgule devant certains coordonnants. Utilisez toutes les conjonctions suivantes : *et*, *mais*, *ou*, *car*.

■ L'ouragan se dirigeait vers le large.	■ Les vents soufflent extrêmement fort.
■ La ville est complètement paralysée.	■ Sa trajectoire a changé.
■ Les habitants ont quitté leur maison.	■ Le cyclone atteindra la côte d'ici 24 h.
■ Les uns font des réserves d'eau.	■ La mer est déchaînée.
■ La pluie est torrentielle.	■ Les autres essaient de protéger leurs biens.
■ De hautes vagues frappent le phare.	■ Les transports publics sont arrêtés.
■ La population de la ville se prépare.	■ Ils s'apprêtent à partir.

Ex. : *La population de la ville se prépare,* ***car*** *le cyclone atteindra la côte d'ici 24 h.*

1. ______

2. ______

3. ______

4. ______

5. ______

6. ______

Nom : ______________________ Groupe : __________ Date : __________

La subordination

P 1re 2e

EN BREF

- La subordination consiste à rattacher, au moyen d'un subordonnant, deux phrases de niveaux syntaxiques différents : une phrase enchâssante et une phrase subordonnée.
- La phrase subordonnée dépend de la phrase enchâssante. Elle commence toujours par un subordonnant, qui est souvent un pronom relatif ou une conjonction de subordination.

P enchâssante — P subordonnée

Ex. : [*Le Massaï Mara est un parc naturel*], [*qui s'étend sur plus de 1500 km²*].

p. 56

1 a) Soulignez les phrases subordonnées dans les phrases ci-dessous.

Ex. : *Lorsque l'herbe jaunit, les gnous migrent vers le Massaï Mara.*

1. Une vieille femelle gnou guide le troupeau lorsque la nourriture vient à manquer.
2. Le troupeau de gnous, qui compte près de deux millions de têtes, entraîne à sa suite des zèbres, des gazelles ainsi que de nombreux prédateurs.
3. Il traverse la rivière Mara, où des crocodiles affamés les attendent.

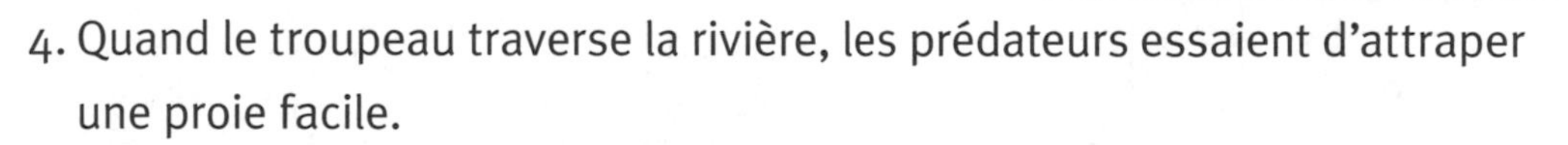

4. Quand le troupeau traverse la rivière, les prédateurs essaient d'attraper une proie facile.
5. Dès qu'ils atteignent les plaines verdoyantes, les bovidés arrêtent leur migration.

b) Dans trois des phrases en a), il est possible de déplacer la subordonnée. Récrivez ces phrases en effectuant le déplacement.

Ex. : *Les gnous migrent vers le Massaï Mara* ***lorsque l'herbe jaunit.***

____

____

____

____

____

____

2 a) Soulignez les subordonnées dans les phrases ci-dessous.

b) Surlignez les subordonnants et classez-les dans le tableau ci-dessous sans les répéter.

Ex. : *Lorsque la période de migration commence, le tourisme explose.*

1. La réserve du Massaï Mara, qui abrite plusieurs espèces, est protégée.
2. Les animaux sont perturbés quand les touristes les pourchassent.

3. Les guides rappellent aux gens de se faire discrets aussitôt qu'ils approchent une bête.
4. Les amoureux de la nature, qui ont à cœur la protection de l'environnement, respectent instinctivement cette consigne.
5. Les gens montent à bord des camionnettes dès que les guides les invitent à le faire.
6. Les camionnettes restent en retrait de la rivière où les animaux traversent.

SUBORDONNANTS	
PRONOMS RELATIFS	CONJONCTIONS DE SUBORDINATION
	Ex. : *Lorsque*

3 Complétez chacune des phrases ci-dessous par un pronom relatif ou une conjonction de subordination.

Ex. : *Le peuple massaï, qui habite la réserve, conserve ses traditions.*

1. ______________ il a y une cérémonie spéciale, les membres de la tribu se peignent le visage et portent des bijoux.
2. ______________ les troupeaux se déplacent, ils migrent avec eux.
3. Ils vivent dans des huttes ______________ sont construites avec de la terre, des branches et de l'herbe.
4. Ils établissent leur village dans des endroits ______________ l'herbe est abondante.

Nom : ______________________ Groupe : __________ Date : __________

La subordonnée relative

P 1re 2e

→ ★ ★

EN BREF

La subordonnée relative est introduite par un pronom relatif, comme *qui* et *où*, qui exerce une fonction syntaxique dans la subordonnée. La subordonnée relative est généralement complément d'un nom. Elle appartient au GN.

GN

sub. rel.

Ex. : *Je regarde les papillons orange et noir [qui s'envolent].*

p. 57

Utiliser une subordonnée relative permet de donner une caractéristique au nom qu'elle complète.

1 a) Dans les phrases ci-dessous, placez entre crochets les subordonnées relatives.

b) Surlignez le nom noyau du GN complété par la subordonnée relative.

Ex. : *Les monarques [qui vivent au Canada] sont des insectes migrateurs.*

Comment reconnaître l'antécédent du pronom relatif dans la phrase subordonnée ? Il peut être remplacé par le GN qu'il reprend dans la phrase. Ex. : *Ils font un voyage [qui dure plusieurs mois].* → *Le voyage dure plusieurs mois.*

1. Une fois par année, ils volent vers une forêt du Mexique où ils hibernent.
2. Les papillons qui feront le voyage sont nés vers la fin de l'été.
3. Ces insectes aux fines ailes, qui planent grâce aux courants d'air, parcourent des distances étonnantes.
4. Arrivés à destination, ils se posent sur les branches de pins, où ils se regroupent.

✲ 5. Ils entrent dans un état de demi-sommeil, qui prendra fin au mois de mars.

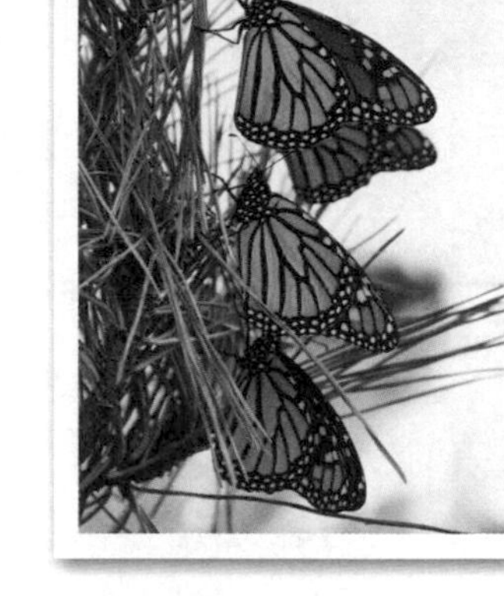

2 À l'aide des paires de phrases ci-dessous, formez une phrase qui contient une subordonnée relative introduite par les pronoms relatifs *qui* ou *où*. Pour vous aider, soulignez les mots qui se répètent.

Ex. : *Cette pinède est protégée. Les papillons séjournent dans cette pinède.*

*Cette pinède **où** les papillons séjournent est protégée.*

1. Les papillons sont de toute beauté.
   Les papillons virevoltent dans le ciel.

   ____

   ____

2. Certaines fleurs poussent dans mon jardin.
   Certaines fleurs attirent les monarques.

   ____

   ____

3 Composez des phrases qui contiennent des subordonnées relatives en utilisant les phrases ci-dessous.

- Sa durée de vie est relativement courte.
- Je plante des fleurs colorées.
- Ses antennes permettent au papillon de trouver sa nourriture.
- Elle se réfugie dans son cocon durant sa transformation.
- Sa durée de vie varie généralement entre 10 et 20 jours.
- La chenille tisse son cocon.
- Les fleurs colorées attirent les papillons dans mon jardin.
- Ses antennes détectent le parfum des fleurs.

Ex. : *Je plante des fleurs colorées, qui attirent les papillons dans mon jardin.*

1. ______________________________

____

2. ______________________________

____

3. ______________________________

____

4 Dans les phrases ci-dessous, surlignez les groupes de mots remplacés par les pronoms relatifs en gras.

Ex. : *J'entre dans la serre **où** les papillons volent en liberté.*

1. Un papillon de jour **qui** a de jolies couleurs se pose délicatement sur ma main.
2. Les papillons nocturnes sont regroupés sur un mur de pierre, **où** ils restent immobiles.
3. Les motifs sur les ailes de ce papillon, **qui** ressemblent à de gros yeux, effraient les prédateurs.
4. Je quitte la serre du jardin public, **où** j'ai passé une agréable journée.

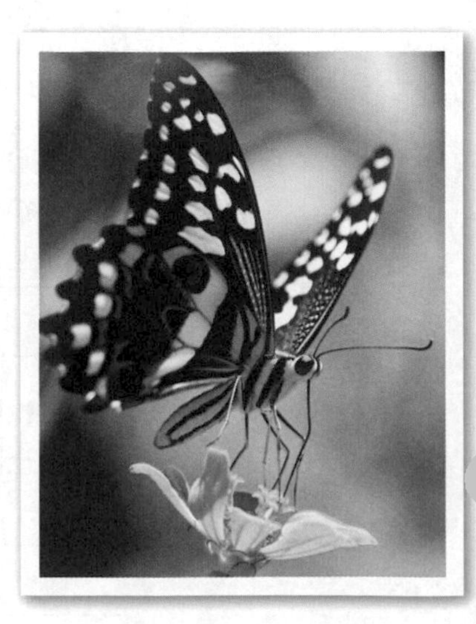

Nom : ______________________ Groupe : __________ Date : __________

La subordonnée complément de phrase exprimant le temps

P 1re 2e

EN BREF

- La subordonnée complément de phrase exprimant le temps a la fonction de complément de phrase parce qu'elle complète la phrase enchâssante dans son ensemble. Elle permet de situer dans le temps, l'un par rapport à l'autre, les événements dans les deux phrases syntaxiques.
- Elle est introduite par une conjonction de subordination. Les conjonctions de subordination *aussitôt que, dès que, lorsque, quand, pendant que, après que, depuis que*, etc., commandent un verbe à l'indicatif. Les conjonctions *avant que*, *en attendant que* et *jusqu'à ce que* commandent un verbe au subjonctif.

sub. compl. de P — P enchâssante

Ex. : [*Lorsque le temps se refroidit*], [*je fais un feu dans la cheminée*].

Indicatif

p. 24, 61

1 a) Complétez les phrases ci-dessous avec une conjonction de subordination qui exprime le temps.

b) Encerclez le verbe de la subordonnée et précisez son mode au-dessus.

Indicatif

Ex. : *Lorsque le blizzard (fait) rage, c'est dangereux de sortir.*

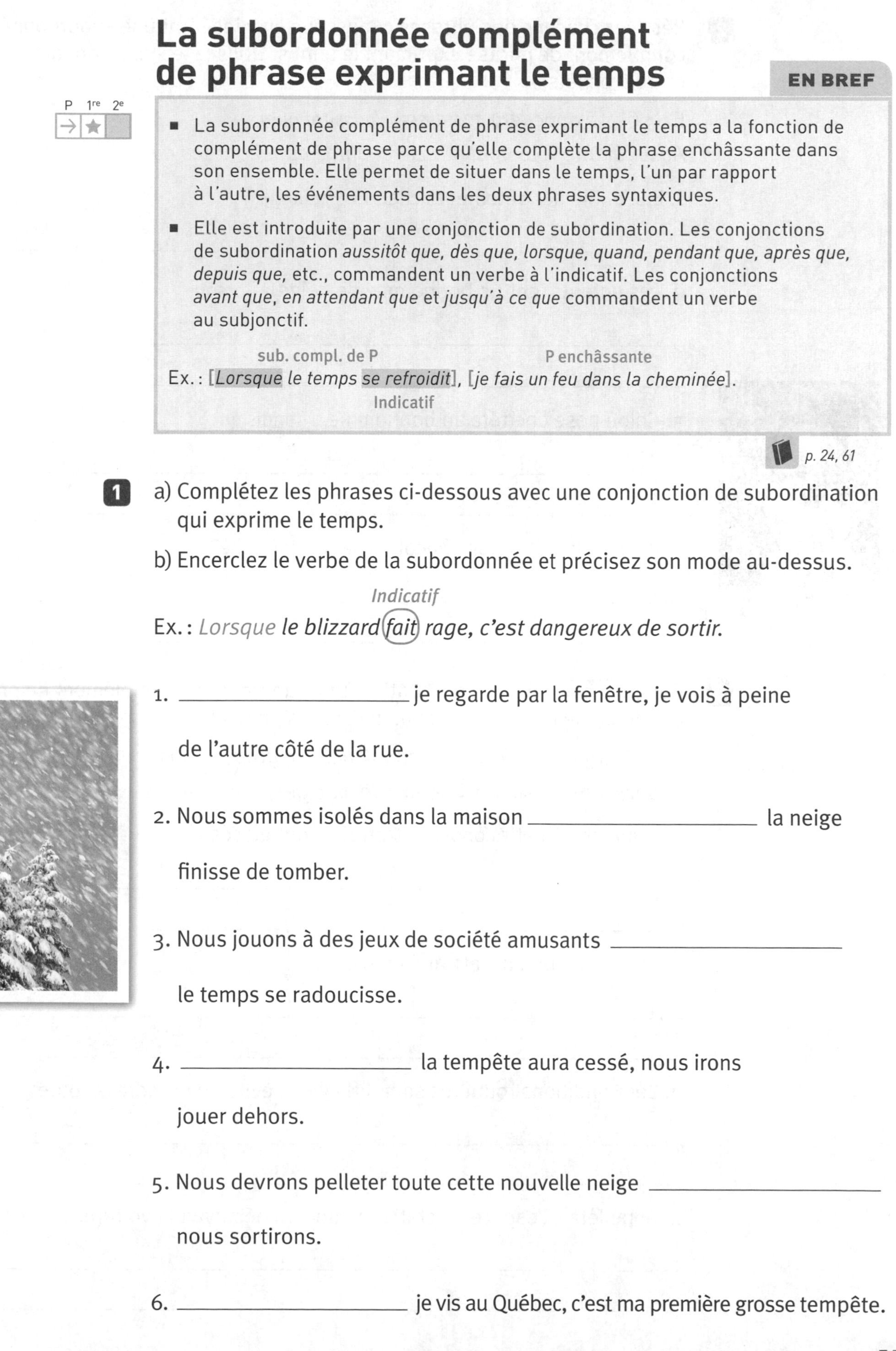

1. ______________ je regarde par la fenêtre, je vois à peine de l'autre côté de la rue.
2. Nous sommes isolés dans la maison ______________ la neige finisse de tomber.
3. Nous jouons à des jeux de société amusants ______________ le temps se radoucisse.
4. ______________ la tempête aura cessé, nous irons jouer dehors.
5. Nous devrons pelleter toute cette nouvelle neige ______________ nous sortirons.
6. ______________ je vis au Québec, c'est ma première grosse tempête.

2 Récrivez chacune des phrases ci-dessous en y insérant une subordonnée complément de phrase exprimant le temps. Utilisez le subordonnant entre crochets.

Ex. : *Chloé appellera ses amis.* *[aussitôt que]*

Aussitôt que la tempête cessera, Chloé appellera ses amis.

1. Elle enfile des vêtements chauds. [quand]

______

2. Les enfants font un bonhomme de neige. [lorsque]

______

______

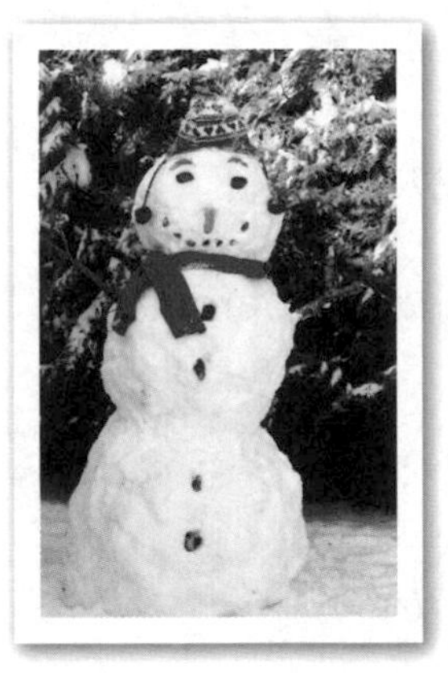

3. Chloé pose une tête au bonhomme. [tandis que]

______

______

4. Ils prendront un bon chocolat chaud. [dès que]

______

______

3 Composez une phrase qui contient une subordonnée complément de phrase exprimant le temps. Pour cela, utilisez les paires de phrases ci-dessous.

Ex. : *J'adore faire du ski de fond. Il neige à gros flocons.*

J'adore faire du ski de fond quand il neige à gros flocons.

1. Je marche à petits pas. Les trottoirs sont glacés.

______

______

2. J'allais tomber. Il a attrapé mon bras.

______

______

3. Les conditions routières sont difficiles. J'évite de prendre la route.

______

______

4. Je pelletais l'espace de stationnement. Il déblayait la voiture.

______

______

Nom : ______________________ Groupe : ____________ Date : ____________

Pour faire le point

Les phrases – 3

p. 34, 51-54, 56-57, 61

1 Lisez le texte ci-dessous, puis répondez aux questions qui suivent.

Un tsunami dévastateur

Un tsunami est un phénomène naturel. Il se forme au fond de l'océan lorsqu'un tremblement de terre, une éruption volcanique ou un glissement de terrain survient. (5) Ce mouvement de fond crée de petites vagues très distancées les unes des autres à la surface de l'eau. Ces vaguelettes voyagent à une très grande vitesse. Lorsqu'elles atteignent les eaux peu profondes des côtes, elles (10) ralentissent. Elles gagnent de la hauteur jusqu'à ce qu'elles frappent le rivage. Elles font alors des ravages incroyables.

(15) Le 26 décembre 2004, un tremblement de terre secoue le sud de l'Asie. C'est le quatrième plus puissant jamais enregistré dans le monde. Quelques heures plus tard, un effroyable tsunami s'abat sur les côtes indonésiennes. Il décime de nombreuses familles: il entraîne la mort de plus de 200 000 personnes. Il frappe particulièrement le Sri Lanka, la Thaïlande et l'Inde, qui sont complètement dévastés. (20) Ces pays sollicitent l'aide humanitaire internationale pour secourir leurs habitants et rebâtir leurs villes et villages. La population mondiale répond à leur appel, mais les régions touchées mettront du temps à se remettre de cette catastrophe.

India HOULE, *Naturophile*, vol. 1, n° 3, décembre 2011, p. 31. (Source fictive.)

Dans le texte, placez les 20 phrases syntaxiques entre crochets.

3 a) Dans le texte, soulignez deux phrases syntaxiques juxtaposées.

b) Récrivez ces phrases en remplaçant le signe de ponctuation qui les relie par un coordonnant approprié.

______

______

______

4 Dans le texte, encerclez un coordonnant utilisé pour relier deux phrases syntaxiques.

5 a) Transcrivez la phrase du texte qui contient une subordonnée relative et encerclez le pronom relatif.

______

______

______

b) Donnez les mots que ce pronom reprend.

______

Dans le texte, surlignez deux subordonnées compléments de phrase qui expriment le temps.

TEXTE *EXPRESS*

p. 128-130

Les médias font de plus en plus appel aux citoyens pour témoigner lorsque des évènements importants se produisent. Ces personnes peuvent alors donner leur version des faits et raconter leur expérience personnelle. Ils fournissent ainsi un autre point de vue.

■ ■ ■

Rédigez un texte d'environ 75 mots qui raconte, à la manière d'un fait divers, un évènement dont vous avez déjà été témoin. Il pourrait s'agir d'un accident, d'un incendie, d'un geste héroïque, d'un incident cocasse ou inusité, etc.

■ ■ ■

1 Utilisez au moins une subordonnée complément de phrase qui exprime le temps afin de situer l'évènement et soulignez-la.

2 Employez au moins un coordonnant entre deux phrases pour donner une explication, une cause ou une conséquence et encerclez-le.

3 Insérez une subordonnée relative complément du nom pour apporter une précision et surlignez-la.

Quel signe de ponctuation employer ?

Les points de phrase

P 1re 2e

EN BREF

Une phrase graphique débute par une majuscule et se termine par un point. Il peut s'agir d'un point, d'un point d'interrogation ou d'un point d'exclamation.

Ex. : *Le Grand Canyon se situe aux États-Unis.* *Est-il très profond ?*
Comme les parois sont à pic !

p. 63-64

1 Encerclez les éléments qui justifient la ponctuation à la fin des phrases ci-dessous.

Bien utiliser les points de phrase permet d'exprimer clairement son intention : faire une affirmation, poser une question, s'exclamer, etc.

Ex. : *Quand le parc du Grand Canyon a-t-il été créé ?*

1. Combien la gorge mesure-t-elle en profondeur ?
2. Comme la superficie de ce parc est grande !
3. Est-il situé en Arizona ?

2 Ajoutez les points à la fin des phrases ci-dessous, puis justifiez la ponctuation que vous avez utilisée.

Ex. : *Le fleuve Colorado a creusé cette immense gorge.*

On utilise le point à la fin d'une phrase déclarative.

1. Comme la force de l'eau est puissante

____

____

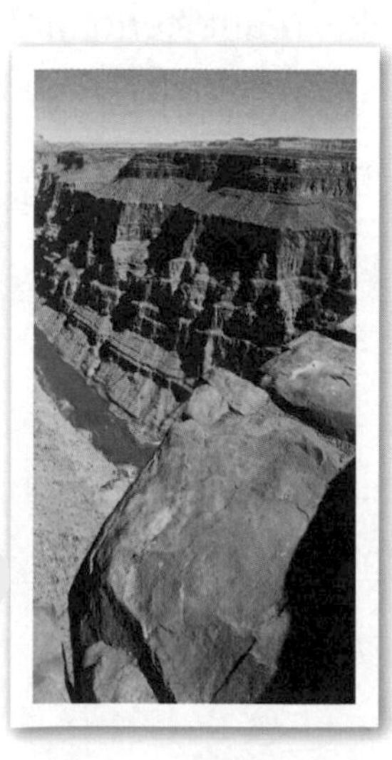

2. Ce fleuve mesure près de 450 km de long

____

____

3. Aimeriez-vous voir le soleil se coucher sur cette vallée

____

____

Nom : ________________ Groupe : ________ Date : ________

Le point-virgule et le deux-points

EN BREF

P 1re 2e

- On met un point-virgule pour unir deux phrases qui expriment deux aspects d'une même idée.

Ex. : *Les îles Galápagos sont en Équateur; elles baignent ainsi dans l'océan Pacifique.*

P 1re 2e

- On utilise le deux-points pour annoncer une énumération, introduire un discours rapporté direct ou amener une explication, une cause ou une conséquence.

Ex. : *Ces îles sont isolées : la faune et la flore y sont uniques.* [Conséquence.]

p. 51, 64

1 Dans chacune des phrases ci-dessous, ajoutez un deux-points au bon endroit et indiquez son emploi à l'aide de la lettre appropriée.

Bien utiliser le point-virgule et le deux-points permet de montrer des liens particuliers entre des groupes de mots ou des phrases.

A Explication, cause ou conséquence.	B Énumération.	C Discours rapporté direct.

1. Plusieurs espèces vivent seulement sur ces îles des tortues géantes, des lézards marins, des lézards fouisseurs, etc. ________
2. Camille rappelle aux gens « Les îles Galápagos font partie du patrimoine mondial. » ________
3. C'est un lieu de plongée incomparable plusieurs espèces marines y cohabitent. ________
4. Le tourisme est une menace il nuit à l'écosystème. ________
5. Un scientifique s'inquiète « Incapables de se reproduire, certaines espèces risquent de disparaître. » ________

2 Placez un point-virgule ou un deux-points dans la case de chacune des phrases ci-dessous.

1. Les îles Galápagos forment un archipel ☐ on compte plus d'une centaine d'îles et d'îlots.
2. La végétation des îles Galápagos est diversifiée ☐ le climat n'est pas le même sur les côtes et au milieu des terres.
3. Des volcans ont formé ces îles ☐ le plus haut sommet s'élève à 1710 mètres.
4. Personne n'habitait sur ces îles au moment de leur découverte ☐ leur population est maintenant d'environ 20 000 habitants.
5. Le tourisme est contrôlé ☐ les gens ne peuvent pas débarquer sur ces îles selon leur bon plaisir.

La virgule

P 1re 2e

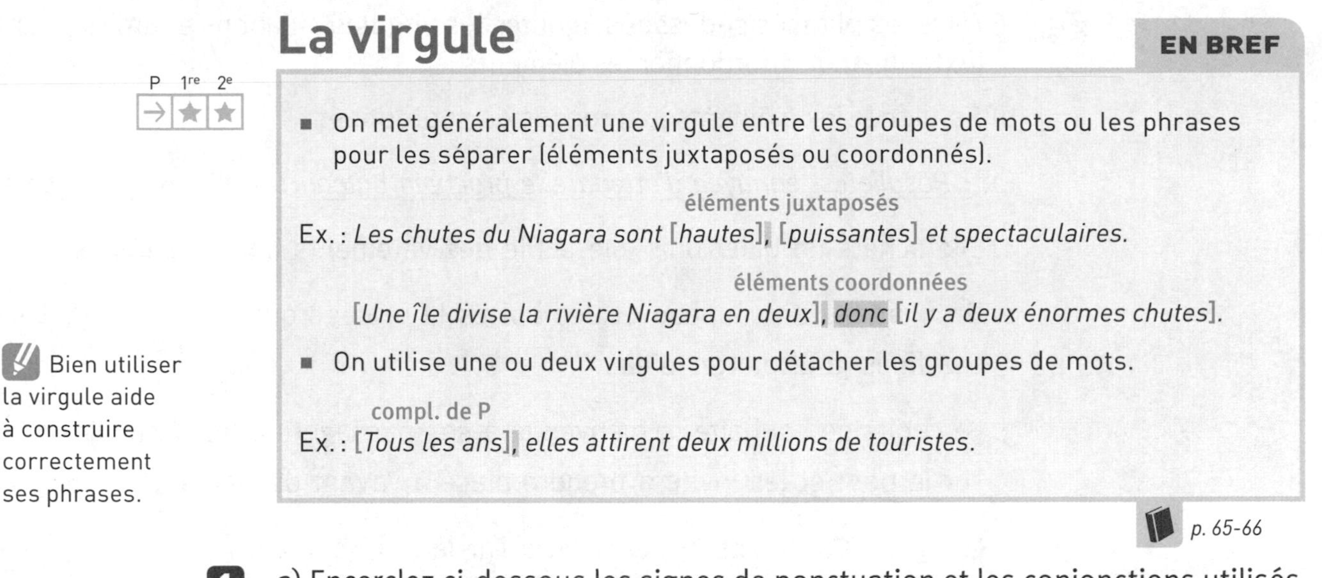

EN BREF

- On met généralement une virgule entre les groupes de mots ou les phrases pour les séparer (éléments juxtaposés ou coordonnés).

éléments juxtaposés

Ex. : *Les chutes du Niagara sont [hautes], [puissantes] et spectaculaires.*

éléments coordonnées

[Une île divise la rivière Niagara en deux], donc [il y a deux énormes chutes].

- On utilise une ou deux virgules pour détacher les groupes de mots.

compl. de P

Ex. : *[Tous les ans], elles attirent deux millions de touristes.*

Bien utiliser la virgule aide à construire correctement ses phrases.

p. 65-66

1 a) Encerclez ci-dessous les signes de ponctuation et les conjonctions utilisés pour juxtaposer ou coordonner les groupes de mots ou les phrases.

Ex. : *Elles ne sont pas les plus hautes du monde, mais elles sont très larges.*

1. La chute canadienne et la chute américaine sont les deux principales chutes.
2. L'une mesure 52 mètres de haut, l'autre atteint 55 mètres.
3. Le débit de l'eau est important, donc c'est une excellente source d'énergie.
4. Les touristes peuvent observer les chutes de près en bateau ou en téléphérique.
5. Il y a de la bruine au-dessus des chutes, mais cela n'empêche pas de les voir.
6. L'arc-en-ciel au-dessus des chutes est rouge, orangé, jaune, vert, bleu, indigo et violet.
7. De nombreux touristes se rendent aux chutes du Niagara, car c'est un endroit magnifique.

✲ 8. Le soir, les chutes offrent un beau spectacle, car elles sont éclairées.

b) Quels sont les deux coordonnants devant lesquels on n'utilise pas la virgule dans ces phrases ?

____

2 a) Dans les phrases ci-dessous, ajoutez les virgules aux bons endroits pour juxtaposer ou coordonner les éléments.

b) Soulignez les éléments juxtaposés ou coordonnés.

Ex. : *Rosalie est ennuyée d'attendre le prochain bateau, car elle est impatiente.*

1. Elle achète un billet puis elle enfile des vêtements imperméables.
2. Un manteau un chapeau et des bottes la protégeront des fines gouttelettes d'eau.
3. Le capitaine souhaite la bienvenue à ses passagers il les accueille sur le pont et les invite à prendre place à l'avant du bateau.
4. Les gens s'assoient à l'avant ou à l'arrière du bateau.

3 a) Dans les phrases ci-dessous, soulignez les compléments de phrase.

b) S'ils ne sont pas placés en fin de phrase, ajoutez des virgules pour les détacher.

Ex. : *En 1916, on a construit des téléphériques surplombant les chutes.*
On a construit, en 1916, des téléphériques surplombant les chutes.

1. Pour avoir une plus belle vue certains choisissent de les survoler en hélicoptère.
2. Les promeneurs pour se balader peuvent emprunter différents sentiers.
3. Durant l'été les touristes sont très nombreux.
4. On peut faire un tour guidé pour visiter le site.

4 a) Dans les phrases ci-dessous, soulignez les groupes nominaux qui ont la fonction de complément du nom.

b) Si ces groupes nominaux sont mobiles dans les phrases, détachez-les en les mettant entre virgules.

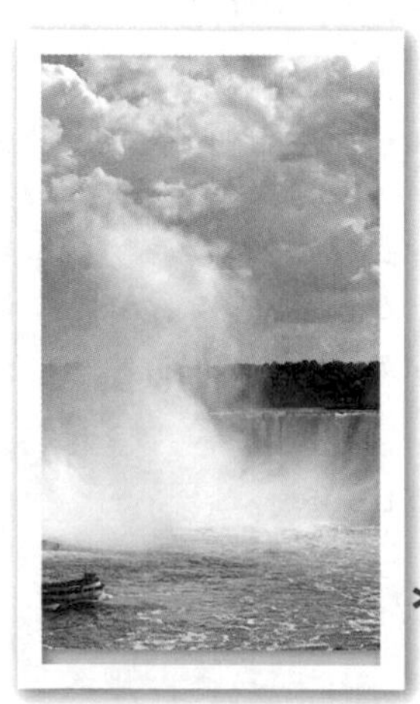

Ex. : *Le Niagara, cette rivière de plus de 50 km, s'écoule depuis le lac Érié.*

1. La rivière Niagara se divise pour former deux des chutes.
2. Le Fer à cheval la chute canadienne tient son nom de sa forme.
3. La rivière Niagara relie deux lacs le lac Ontario et le lac Érié à la frontière canado-américaine.
4. ✲ Le Voile de la mariée la chute la plus petite et la moins connue est accessible par un escalier de 300 marches.

Nom : ______ Groupe : ______ Date : ______

5 Dans les phrases ci-dessous, soulignez les groupes de mots mis en apostrophe et détachez-les par des virgules.

Ex. : *« Rosalie, combien doit-on payer pour utiliser ces longues-vues ? »*

1. « Mathis as-tu quelques pièces de monnaie ? »
2. « Laisse-moi voir Mathis ! »
3. « Regarde là-bas Rosalie un bateau s'approche des chutes ! »
4. ✲ « Faites un sourire les amis et regardez ici. »

6 Dans chacune des phrases ci-dessous, indiquez à quoi sert la virgule à l'aide de la lettre appropriée.

[A] Juxtaposition et coordination. [B] Détachement.

Ex. : *Félix, Stéphanie et moi sommes les premiers prêts à partir.* *A*

1. « Dépêche-toi, Émile ! » ____
2. J'ai mis deux valises, un fourre-tout et un sac à dos dans le coffre de la voiture. ____
3. Dans un peu plus de six heures, nous arriverons à destination. ____
4. C'est une longue route, mais nous allons arrêter en chemin pour nous dégourdir. ____
5. ✲ Mes amis, durant le voyage, font jouer de la musique sur leur tablette numérique. ____
6. Nous allons défaire nos bagages à notre arrivée, puis nous irons voir les chutes. ____

7 Dans les phrases ci-dessous, ajoutez les virgules aux bons endroits.

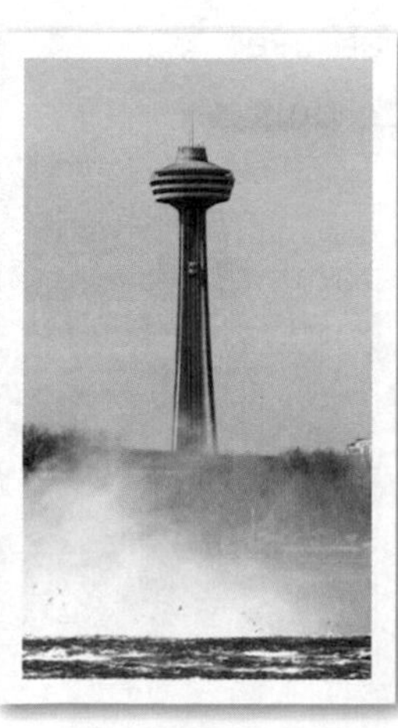

Ex. : *Aujourd'hui, nous allons explorer les environs.*

1. Préférez-vous marcher prendre l'autobus ou trouver un taxi ?
2. La tour Skylon une tour d'environ 160 mètres nous offre une vue sur toute la ville.
3. « Stéphanie as-tu un peu peur de regarder en bas ? »
4. Émile aimerait rester encore en haut de la tour mais il y a beaucoup d'autres choses intéressantes à voir.
5. J'achète des cartes postales pour envoyer à Olivia Gabriel et Antoine.

Nom : ______________________ Groupe : __________ Date : __________

8 Récrivez les phrases ci-dessous en déplaçant les groupes de mots en gras.
! Ajoutez ou supprimez des virgules au besoin.

Ex. : *Nous irons au parc aquatique* ***la semaine prochaine****.*
La semaine prochaine, nous irons au parc aquatique.

1. « **Mathis,** n'oublie pas d'apporter une serviette. »

____

2. Émile, **le retardataire,** se fait encore attendre.

____

3. Le parc offre 13 glissades **pour amuser les visiteurs.**

____

4. Il faut attendre le signal lumineux **avant de glisser.**

____

5. « Veux-tu descendre avec moi, **Stéphanie** ? »

____

6. **L'activité la plus amusante,** la descente en radeau, est très achalandée.

____

9 Ajoutez les huit virgules aux bons endroits dans le texte ci-dessous.

ERREURS !

Une visite au parc d'aventures

Le parc d'aventures plaira aux petits mais les plus grands s'amuseront aussi ! Il offre des spectacles de mammifères marins mettant en vedette des épaulards des dauphins et des bélugas. Ces animaux très intelligents vous surprendront avec leurs tours spectaculaires. Il suffit de quelques signes de leurs entraîneurs pour les voir sauter très haut dans les airs frapper l'eau avec leur queue ou donner des baisers ! Les récompenses de petits morceaux de poisson les encouragent aussi à exécuter ces acrobaties... c'est certain !

Pour connaître l'horaire des spectacles vous pouvez consulter le programme. Renseignez-vous c'est à ne pas manquer !

Prévoyez une journée complète pour visiter le parc d'aventures car il y a une foule d'autres activités.

Simon POISSON, *Bouffée d'air*, vol. 1, n° 4, janvier 2012, p. 12. (Source fictive.)

Les guillemets et les tirets

EN BREF

P 1re 2e

Bien utiliser la ponctuation du discours rapporté direct permet de préciser quels sont les propos rapportés et qui les énonce.

- Les guillemets servent à encadrer des paroles.

Ex. : *Ravie, Florence nous annonce : « Je m'envole pour Banff la semaine prochaine. »*

- Les tirets servent à montrer le changement d'interlocuteur dans un dialogue.

Ex. : *– Que vas-tu faire là-bas ? demande Mathieu.*

– J'aimerais profiter de la nature, lui répond Florence.

p. 67-68

1 a) Ajoutez les deux-points et les guillemets aux bons endroits.

b) Soulignez les verbes utilisés pour introduire les discours rapportés directs.

Ex. : *La guide les interroge : « Sur quel billet de banque canadien le lac Moraine a-t-il été imprimé au cours des années 1970 ? »*

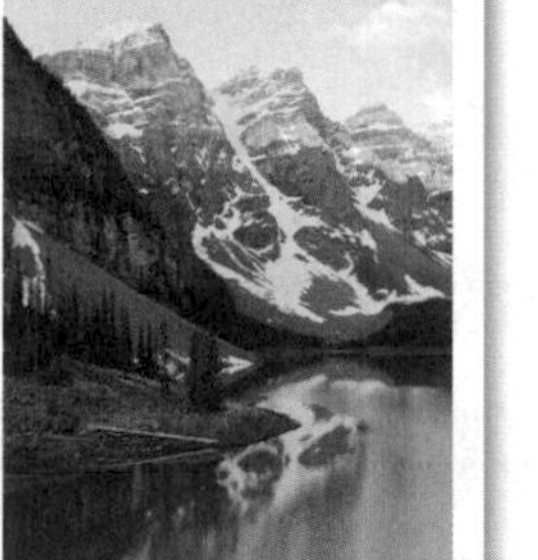

1. Face au lac, Florence s'exclame Comme l'eau est turquoise !
2. Elle demande Qui a envie de faire une promenade en canot ?
3. Vous l'invitez à escalader la montagne Viens-tu avec nous jusqu'au sommet ?
4. Arrivé en haut, Alexis s'écrie Ohé !
5. Alexis me raconte sa journée, enthousiaste Nous sommes allés jusqu'au lac Moraine, puis...

2 Rédigez une phrase qui contient un discours rapporté direct avec chacune des phrases ci-dessous. ! Respectez le sens de la phrase et utilisez la ponctuation appropriée.

Ex. : *Je demande à la réception si ma chambre est prête.*

Je demande à la réception : « Est-ce que ma chambre est prête ? »

1. En ouvrant la porte, je me dis que j'ai vraiment bien choisi mon hôtel !

____

____

2. Le bagagiste me dit de composer le 9, si j'ai besoin de quelque chose.

____

____

3. Je lui réponds n'avoir besoin de rien pour l'instant.

____

3 Composez une entrevue à l'aide des phrases ci-dessous. ⚠ Utilisez le tiret aux bons endroits pour marquer l'alternance des questions et des réponses.

Quelles montagnes traversent ce parc ? ■ Le magazine *Bouffée d'air* s'entretient brièvement avec une garde du parc national de Banff. ■ Il est en Alberta. ■ Le ski alpin est l'une des plus populaires. ■ Très occupée, elle répond à une dernière question avant de partir. ■ Dans quelle province se trouve le parc national de Banff ? ■ Les montagnes Rocheuses. ■ Chers lecteurs, la meilleure façon de découvrir ce parc reste d'aller y faire un tour. ■ Plusieurs personnes aiment aussi se baigner dans les sources d'eau chaude. ■ Pouvez-vous nous suggérer deux activités à faire en hiver ?

Entrevue

______

______

______

______

______

______

______

______

______

______

______

______

______

______

______

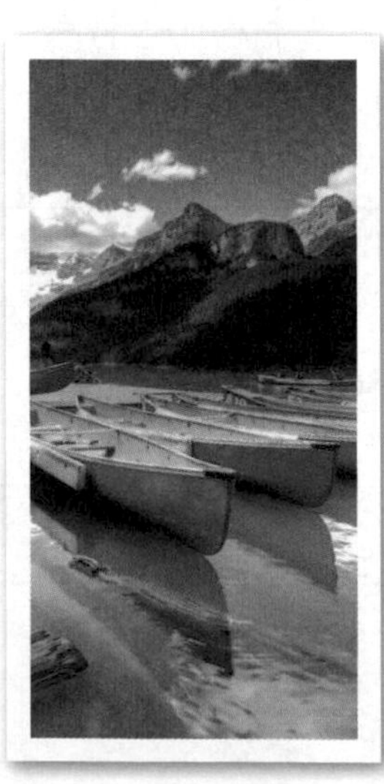

Nom : ______________________ Groupe : ____________ Date : ____________

Pour faire le point

La ponctuation

p. 63-68

1 Lisez le texte ci-dessous, puis répondez aux questions qui suivent.

L'île de beauté

La Corse baigne au centre de la Méditerranée, entre la Côte d'Azur et l'Italie. La Corse n'est pas la plus grande des îles de la Méditerranée,[1] mais son désert insolite et ses montagnes rocheuses en font un lieu grandiose. (5)

ERREUR !
Dans le nord de l'île le désert des Agriates s'étend à perte de vue.

Le désert des Agriates s'étend sur près de 16 000 hectares dans le nord de l'île. Dans ce désert,[2] il n'y a pas de chameaux ni de sable ! Cette vaste étendue aride est plutôt couverte de rocailles,[3] de buissons et de pins maritimes. Les Agriates,[4] paradis des randonneurs,[5] offrent un paysage d'une beauté sauvage.

(10) Au sud,[6] il y a le massif de Bavella : ce sont d'immenses montagnes couronnées de pics rocheux. Ce massif se dresse à près de 1900 mètres au-dessus d'une forêt de pins. Lorsqu'on y grimpe,[7] on peut admirer de larges murailles sombres aux reflets gris-blanc et (15) roses. Quel décor à couper le souffle !

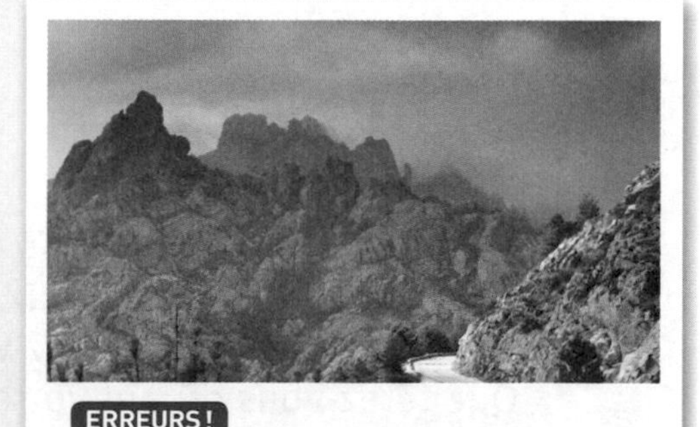

ERREURS !
Le massif de Bavella magnifiques montagnes rocheuses est une merveille géologique.

Sauvage,[8] majestueuse et incomparable, la Corse impressionne. Il n'est pas surprenant que l'on parle d'elle en ces mots : « La Corse, c'est l'île de beauté. »

Marie Sylvie LEGAULT

Nom : ____________________ Groupe : __________ Date : __________

2 Dans le texte, relevez deux phrases utilisées pour s'exclamer, puis encerclez un marqueur exclamatif dans l'une d'elles.

____

____

____

____

3 a) Inscrivez la lettre appropriée pour justifier l'emploi de chaque virgule numérotée dans le texte.

A Éléments juxtaposés.	B Éléments coordonnés.
C Complément de phrase détaché.	D Complément du nom détaché.

1. ☐	2. ☐	3. ☐	4. ☐
5. ☐	6. ☐	7. ☐	8. ☐

b) Dans le texte, surlignez la virgule utilisée devant un coordonnant.

4 Ajoutez les virgules aux bons endroits dans les deux légendes placées sous les photos.

5 Complétez la phrase ci-dessous.
Le deux-points à la ligne 10 est utilisé pour introduire __________.

6 Dans le texte, encerclez la ponctuation utilisée pour rapporter des paroles.

TEXTE *EXPRESS*

p. 128-130

On vous offre un séjour dans un lieu touristique de votre choix. Quelle sera votre destination ? Qu'allez-vous y visiter ? Que ferez-vous durant votre séjour ?

■ ■ ■

Planifiez un horaire de cinq jours sous la forme d'un texte d'environ 100 mots et décrivez les endroits que vous visiterez ainsi que les activités que vous ferez.

■ ■ ■

1 Présentez trois activités sous la forme d'une énumération. Soulignez cette énumération.

2 Utilisez un deux-points pour insérer une explication. Encadrez-le.

3 Encerclez les virgules dans votre texte et justifiez leur emploi à l'aide des lettres suivantes.

A Phrases ou groupes juxtaposés ou coordonnés.

B Groupe détaché.

5

L'orthographe est-elle correcte ?

Les adverbes en *-ment*

P 1re 2e

Connaître les règles de formation des adverbes en *-ment* permet d'enrichir son vocabulaire et de nuancer son propos.

EN BREF

- On forme de nombreux adverbes en ajoutant le suffixe *-ment* à l'adjectif au féminin.

Ex. : *curieux* (m.) / *curieuse* (f.) → *curieusement* ; *incroyable* (m. et f.) → *incroyablement*

- Certains adverbes se forment selon d'autres règles.

p. 71

1 Encerclez les adverbes correctement orthographiés ci-dessous.

ERREURS !

1. bruyament bruyamment
2. dangereusement dangeureusement
3. absoluement absolument
4. habituelement habituellement
5. intelligement intelligemment
6. vraiment vraiement

2 Utilisez les adjectifs donnés pour former des adverbes en *-ment*. Écrivez ces adverbes au-dessus des phrases et indiquez à l'aide d'une flèche l'endroit où chacun doit être placé.

Ex. : délicat *L'archéologue manipule ↓(délicatement) ces artéfacts.*

1. prudent Les ouvriers se déplacent sur le site.
2. dur Ils piochent la terre pour dégager les ruines d'une ville.
3. profond Ils creusent le sol, car la maison est enfouie.
4. constant L'équipe travaille du matin au soir.
5. régulier Le responsable du chantier passe voir les travaux.
6. difficile Un ouvrier dégage une urne.

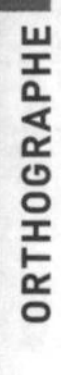

3 a) Utilisez les adjectifs ci-dessous pour former des adverbes en *-ment*.

b) Donnez la règle de formation de ces adverbes à l'aide de la lettre appropriée.

A Formation par l'ajout du suffixe *-ment* à l'adjectif au féminin.	B Formation selon une autre règle.

Ex. : *affectueux* *affectueusement* *A*

1. agréable ______________ ____
2. attentif ______________ ____
3. calme ______________ ____
4. certain ______________ ____
5. courageux ______________ ____
6. courant ______________ ____
7. décidé ______________ ____
8. délicat ______________ ____
9. désespéré ______________ ____
10. différent ______________ ____
11. doux ______________ ____
12. essentiel ______________ ____
13. joli ______________ ____
14. nerveux ______________ ____
15. parfait ______________ ____
16. patient ______________ ____
17. profond ______________ ____
18. récent ______________ ____
19. réel ______________ ____
20. régulier ______________ ____
21. secret ______________ ____
22. spécial ______________ ____
23. suffisant ______________ ____
24. vrai ______________ ____

Nom : ______________________ Groupe : __________ Date : __________

L'apostrophe

P 1re 2e

EN BREF

L'apostrophe (') remplace la voyelle finale *a*, *e* ou *i* à la fin de certains mots lorsqu'ils sont suivis d'autres mots qui commencent par une voyelle ou un *h* muet. On nomme *élision* ce remplacement de la voyelle finale.

Ex. : *Puisqu'elle aime travailler à l'air libre, elle a choisi d'être jardinière.*

p. 72

1 a) Tracez un arc entre les déterminants au pluriel et les noms qui commencent par un *h* muet pour montrer la liaison à l'oral.
⚠ Certains noms ne commencent pas par un *h* muet, mais par un *h* aspiré.

b) Récrivez tous les noms au singulier en ajoutant le déterminant *le*, *la* ou *l'* devant.

Comment savoir si un mot commence par un *h* muet ? Il se prononce avec une liaison lorsqu'il est précédé d'un déterminant au pluriel, par exemple : les [z] herbes.

Ex. : *les habiletés* *l'habileté* — *les hasards* *le hasard*

1. les habitudes ______ 2. les haies ______
3. les hamacs ______ 4. les haricots ______
5. les hêtres ______ 6. les heures ______
7. les horaires ______ 8. les humains ______

2 Dans les phrases ci-dessous, la voyelle finale de certains mots doit être remplacée par une apostrophe. Soulignez ces mots et corrigez-les.

ERREURS !

Ex. : *Lorsque* (*Lorsqu'*) *il ne pleut pas, il faut arroser les plantes extérieures pour que* (*qu'*) *elles restent belles.*

1. Alicia travaille dans une pépinière jusque au mois d'octobre.
2. Si Éric cherche du travail, il peut nous appeler jusque à 17 h.
3. Si il a déjà trouvé un emploi, vérifie si Anna est disponible.
4. Nous plantons des vivaces parce que elles repousseront chaque année.
5. Puisque il le faut, nous arrêterons de travailler seulement lorsque il fera noir.

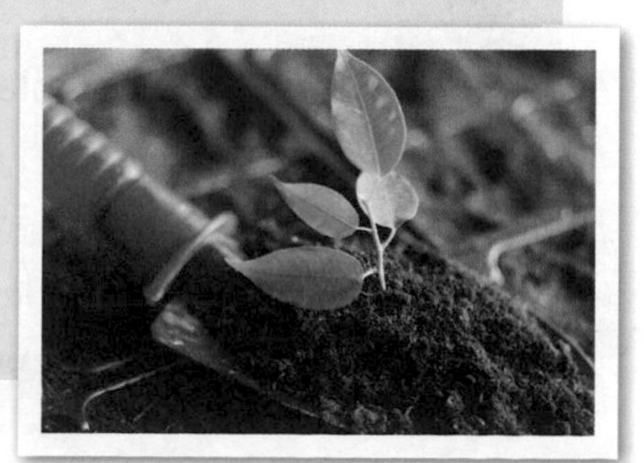

Nom : ______________________ Groupe : __________ Date : __________

ORTHOGRAPHE

La majuscule

P 1re 2e
→ ★ ★

EN BREF

- La phrase graphique commence par une majuscule.
- On met la majuscule aux noms propres. Un nom propre désigne une réalité unique, par exemple une personne, un animal de compagnie, un peuple ou un lieu.

Ex. : *Avant de les épingler sur le babillard, Claudia révise toutes les affiches.*

p. 34, 73

Mettre une majuscule au nom propre permet de le distinguer du nom commun.

1 Corrigez les annonces ci-dessous en ajoutant ou en enlevant des majuscules aux bons endroits.

ERREURS !

LE PAPOTEUR

Laval
Les pompiers de ~~laval~~ vous invitent à un concert-bénéfice afin d'amasser des fonds pour les enfants défavorisés. Le spectacle met en vedette le chanteur Lavallois Rock N. Rollé. procurez-vous vos billets directement à la Caserne, au 119, rue vulcain.

Allô, les trifluviens !
Je m'appelle cynthia. J'étudie à montréal, mais je suis native de Trois-rivières. j'aimerais trouver une personne pour faire du covoiturage et ainsi diminuer mes frais de déplacement d'une Ville à l'autre.
mon numéro est le : 540-098-7654.

bonjour !
Comme je pars bientôt travailler en tant qu'aide humanitaire au sénégal, je suis à la recherche d'une famille pour s'occuper de ma chatte chatouille. Elle est douce et câline. venez la voir ! Nous habitons le Quartier beaurivage.
Joignez-moi par Courriel :
chatouille@courrier.fra

Nom : ______________________ Groupe : __________ Date : __________

2 Complétez les annonces ci-dessous en écrivant les mots proposés aux bons endroits. Ajoutez les majuscules au besoin.

1 ▪ béatrice ▪ paris ▪ gaspésie ▪ québécois ▪ tadoussac ▪ sept-îles ▪ villes ▪ province ▪ centre-ville ▪ région

2 ▪ québec ▪ éthan major ▪ montréal ▪ croisière ▪ villes côtières ▪ trois-rivières ▪ saint-laurent

3 ▪ limoilou ▪ espagnol ▪ français ▪ francophone ▪ mexicain ▪ canada

LE PAPOTEUR

1 Allô, les ____________
Mon nom est ____________. Je fais un séjour dans votre belle ____________, mais le temps passe si vite ! J'aimerais revenir pour visiter les ____________ de ____________ et de ____________, et peut-être la ____________ de la ____________. Je vous propose donc de faire un échange de maison. Que diriez-vous d'habiter chez moi, au ____________ de ____________, tandis que j'habiterais chez vous ? Écrivez-moi si cela vous intéresse : bea_lamaison@courrier.fra

2 L'agence Bon vent ! vous propose une ____________ entre ____________ et ____________.
Le capitaine, ____________, vous racontera des anecdotes à propos du ____________ et des ____________. Un repas vous sera servi lorsque le navire longera ____________.

Réservez en téléphonant au 540-1BATEAU.

3 ¡Buenos días !
Installé au ____________ depuis deux ans, j'aimerais améliorer mon ____________.
Je cherche donc une personne ____________ intéressée à converser deux heures par semaine avec moi. De mon côté, comme je suis ____________, je vous parlerai en ____________. J'habite près du cégep de ____________.
Communiquez avec moi : rodrigue_ramirez@courrier. fra

Nom : ______________________ Groupe : __________ Date : __________

ORTHOGRAPHE

Le trait d'union

P 1re 2e

EN BREF

On place un trait d'union :

- entre le verbe et le pronom personnel sujet dans une phrase interrogative ;

Ex. : *Sais-tu planter un clou ?*

- entre le verbe à l'impératif et le ou les pronoms personnels compléments ;

Ex. : *scie-la, coupe-les, donne-le-lui*

- entre *même*, *ci* et *là* et le mot auquel ils sont reliés.

Ex. : *ceux-ci, celle-là, cette planche-ci, ce clou-là, là-dessous, ci-dessous, lui-même, vous-mêmes*

p. 75

1 Formez dix mots liés par un trait d'union avec chacun des mots ci-dessous.
⚠ Vous pouvez utiliser les mots plus d'une fois au besoin.

▪ bas	▪ ceux	▪ dessus	▪ haut	▪ même
▪ celles	▪ ci	▪ elle	▪ là	▪ mêmes
▪ celui	▪ dedans	▪ elles	▪ lui	▪ moi

____

____

____

____

2 Dans les phrases ci-dessous, placez des traits d'union aux endroits appropriés.

1. Donne moi le marteau posé là bas et cette planche là, s'il te plaît.
2. Tiens la solidement pendant que je plante ces clous ci.
3. Quelle couleur préférez vous ? Celle ci ou celle là ?
4. Sais tu comment faire ? Montre le lui.
5. Dans l'autre maison, là bas, ils ont décidé de terminer les travaux eux mêmes.

✲6. J'ai posé mes outils là tout à l'heure, mais ceux ci semblent avoir disparu.

✲7. Les as tu vus ? Ils doivent traîner là, quelque part.

Nom : ______________________ Groupe : __________ Date : __________

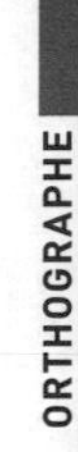

Pour faire le point

L'orthographe

p. 69-75

1 Dans l'offre d'emploi ci-dessous, encerclez les erreurs concernant l'emploi de l'apostrophe, de la majuscule et du trait d'union, puis apportez les corrections nécessaires au-dessus des mots.

ERREURS!

La ferme Sillons cherche des jeunes pour la cueillette de petits fruits:

Les fraises, les framboises et les bleuets. Aimez vous être dehors? êtes-vous responsable, méthodique et rapide? Si oui, venez travailler dans cette entreprise familiale dès que il n'y aura plus d'école en juin. Présentez vous au 501, rue Macédoine, laval.

2 Donnez les mots élidés dans l'offre d'emploi ci-dessous.

____

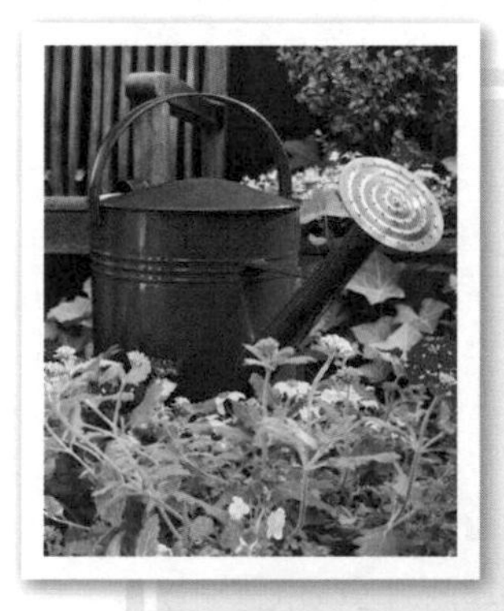

La compagnie La main à la pâte engage des étudiants pour effectuer des petits travaux résidentiels comme :

- tondre la pelouse;
- entretenir le jardin;
- peindre les clôtures;
- laver l'extérieur des voitures, etc.

On ne demande aucune expérience puisqu'il ne s'agit pas de tâches difficiles. Il suffit de faire un peu d'efforts. Téléphonez au 540-JOBINES.

3 Récrivez les tâches énumérées en insérant après chacun des verbes à l'infinitif un adverbe formé à partir de l'adjectif donné.

hebdomadaire	■ ______________________
régulier	■ ______________________
patient	■ ______________________
soigneux	■ ______________________

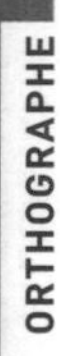

Nom : ______________________ Groupe : __________ Date : __________

4 Lisez l'offre d'emploi ci-dessous avant de répondre aux questions qui suivent.

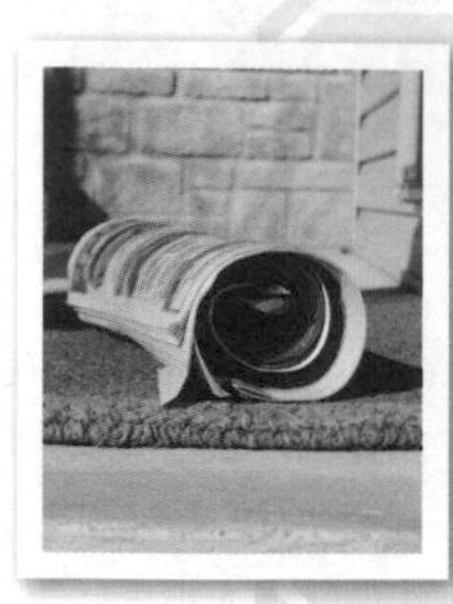

Le journal *Le Rapporteur* est à la recherche de camelots.
La livraison des journaux s'effectue du lundi au vendredi, avant 7 h.
Les personnes intéressées doivent être fiables, sérieuses et ponctuelles.
Pour obtenir d'autres informations ou poser votre candidature, composez le numéro suivant : 540-BOMATIN.

5 Récrivez trois phrases du texte ci-dessus en insérant un adverbe en *-ment* dans chacune d'elles.

____

____

____

____

____

____

6 Expliquez en quelques mots pourquoi il faut écrire *appelez le*, et non *appelez-le*.

____

____

TEXTE *EXPRESS*

Les offres d'emplois que vous venez de lire se retrouvent sur le babillard de votre école. Afin d'avoir un peu d'argent de poche, vous décidez de répondre à l'une de ces annonces.

■ ■ ■

Rédigez une courte lettre dans le but d'obtenir un des emplois offerts. Montrez que vous êtes la personne « idéale » pour effectuer ce travail en présentant vos principales qualités, vos habiletés, vos réussites, etc.

■ ■ ■

1 Respectez le format d'une lettre.

2 Insérez au moins deux adverbes en *-ment* pour préciser vos idées et soulignez-les.

3 Utilisez les majuscules aux bons endroits lorsque vous indiquerez vos coordonnées à la fin de votre lettre.

6

Comment écrire les homophones ?

Les homophones

P 1re 2e

HOMOPHONES	EXEMPLES ET REMPLACEMENTS
ce	*ce siège-là* *J'ai réservé ce siège.*
	Cela *Ce sera mon premier voyage à Tokyo.*
se	*se dépêche elle-même* *Elle se dépêche pour attraper son vol.*
c'est	*cela est* *Comme c'est excitant !*
s'est	*s'est préparé lui-même* *Il s'est préparé à un choc culturel.*
ces	*Ces sièges-là* *Ces sièges sont occupés.*
ses	*les papiers qui lui appartiennent* ou *les papiers* *Elle a mis ses papiers dans son sac.*

p. 156

Les homophones sont des mots qui se prononcent de la même façon, mais qui s'écrivent différemment. Savoir les distinguer permet de les orthographier correctement.

1 a) Complétez les phrases par les homophones *ce*, *se*, *c'est*, *s'est*, *ces* ou *ses*.

b) Indiquez la classe des mots que vous avez écrits. Pour cela :

- surlignez les pronoms ;
- encerclez les déterminants ;
- encadrez le verbe *être*.

Ex. : *Tokyo se situe au Japon : c'est la capitale de ce pays.*

1. ________ une immense ville, mais ________ habitants vivent entassés.
2. Charlotte préfère ________ déplacer en métro, car ________ n'est pas facile de conduire avec toutes ________ voitures au centre-ville.
3. La voyageuse ________ perdue, mais ________ n'est pas bien grave : elle va ________ repérer à l'aide de ________ plan affiché à la sortie de métro.
4. Charlotte ________ promenée toute la journée : ________ pour cela que ________ pieds lui font mal.

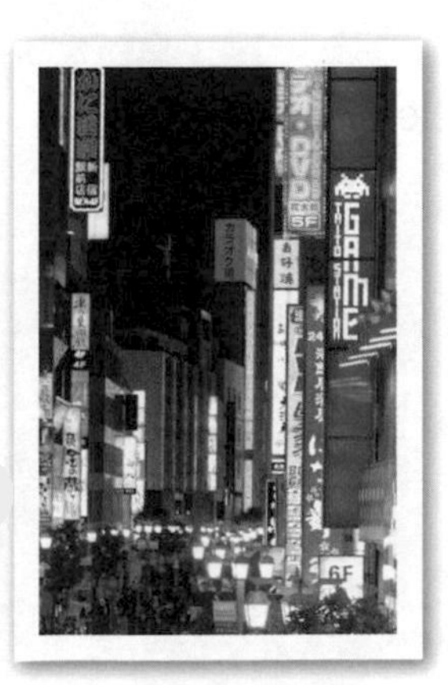

Nom : ______________________ Groupe : __________ Date : __________

2 Complétez le texte ci-dessous avec les homophones *ce*, *se*, *c'est*, *s'est*, *ces* ou *ses*.

Comment distinguer les homophones ? Ils peuvent être remplacés par des mots qui appartiennent à la même classe de mots.

Souper au pays du Soleil levant

Après une journée bien remplie, Charlotte ______ rend à ______ restaurant japonais qu'elle ______ fait conseiller par ______ amis. ______ un beau restaurant. Il ______ fait un nom grâce à ______ délicieux makis, ______ bouchées de riz enroulé d'une feuille d'algue.

______ une chance : ______ n'est pas encore complet à son arrivée. Elle ______ trouve une table, puis regarde le menu. Elle ______ demande quoi choisir. « ______ bouchées sont toutes appétissantes », pense-t-elle.

Son assiette servie, elle ne regrette pas ______ choix. Elle mange avec ______ baguettes, mais ______ serait plus simple de le faire avec ______ doigts. Manier ______ bâtonnets, ______ tout un art ! Après ______ bon repas, elle ______ commande du thé.

Comme ______ sa première journée à Tokyo, elle rentre ensuite ______ reposer à son hôtel. Que la journée ______ vite déroulée ! Le lendemain, elle ______ planifié un horaire tout aussi chargé. ______ seront des vacances inoubliables, mais éreintantes…

HOMOPHONES	EXEMPLES ET REMPLACEMENTS
à	*Nous allons à Québec.* (∅ avait)
as (l'as, m'as)	*Tu as une carte de la ville. Ce voyage, tu l'as mérité.* (avais ; l'avais)
a (l'a, m'a, t'a)	*Il y a plusieurs choses à voir. On m'a donné un billet.* (avait ; m'avait)
la	*La ville a des années d'histoire.* (Cette ou Une)
	Je la redécouvre avec vous. (redécouvre celle-ci)
là	*Regarde là!* (là-bas)
ma	*Je gare ma voiture.* (la voiture qui m'appartient ou la voiture)
ta	*Tu gares ta voiture.* (la voiture qui t'appartient ou la voiture)

p. 155, 160, 167

Encerclez les homophones qui conviennent pour compléter le texte ci-dessous.

Carnet d'ici

Là où le fleuve est étroit

Québec, c'est (l'as / l'a / la / là) plus vieille ville du Canada. On (l'as / l'a / la / là) nomme aussi (l'as / l'a / la / là) Vieille Capitale. Tu (à / as / a) sans doute déjà vu des photos de cette ville, mais (l'as / l'a / la / là) -tu visitée ? Elle (à / as / a) plusieurs attraits historiques. Par exemple, le château Frontenac (à / as / a) plus de 100 ans. Sa belle architecture (m'as / m'a / ma) toujours impressionnée. Il est (l'as / l'a / la / là), face au fleuve, majestueux. Tout à côté, (l'as / l'a / la / là) terrasse Dufferin domine le fleuve. On (l'as / l'a / la / là) baptisée ainsi en l'honneur de Lord Dufferin, (à / as / a) qui l'on doit son aménagement actuel. (T'a / Ta) -t-on déjà parlé de la beauté des plaines d'Abraham ? C'est un immense espace vert (à / as / a) quelques pas du château. Pour (m'as / m'a / ma) part, c'est (m'as / m'a / ma) ville coup de cœur.

Jacinthe DELYSÉE, *Naturophile*, vol. 2, n° 6, novembre 2011, p. 19. (Source fictive.)

Nom : ______________________ Groupe : ____________ Date : ____________

HOMOPHONES	EXEMPLES ET REMPLACEMENTS
on	*Tout le monde* *On marche dans les rues de Paris.*
on n'	*Tout le monde n'* *On n'est pas pressé.*
ont (m'ont, t'ont)	*avaient* *t'avaient* *Ils ont toute la journée devant eux. Ils t'ont fait rire.*
mon	*le bagage qui m'appartient ou le bagage* *Je mets mon bagage dans le taxi.*
ton	*le passeport qui t'appartient ou le passeport* *N'oublie pas ton passeport.*

p. 161, 162, 168

1 a) Complétez les phrases par les homophones *on*, *on n'* ou *ont*.

b) Encerclez les pronoms personnels de la 3e personne du singulier parmi ces homophones.

Ex. : *Au musée du Louvre, (on) peut admirer la Joconde, mais (on) n' a pas le droit de la photographier.*

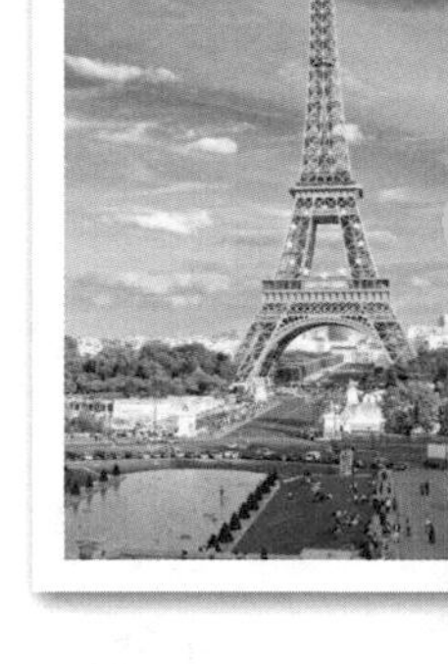

1. Comme les Parisiens ________ de la chance de pouvoir venir admirer ces tableaux lorsqu'ils en ________ envie !
2. ________ a donné le surnom de « Ville lumière » à Paris.
3. ________ peut rapidement se déplacer grâce au métro.
4. Il y a tellement de choses à voir dans cette ville qu'________ arrive jamais à tout visiter.
5. ________ a pas toujours la chance d'y faire de longs séjours.

2 a) Complétez les phrases par les homophones *m'ont*, *mon*, *t'ont* ou *ton*.

b) Écrivez un remplacement possible au-dessus de ces homophones.

Ex. : *Ils t'ont offert des billets d'avion pour aller en Europe.* (*t'avaient*)

1. Je réalise ________ plus grand rêve de voyage.
2. Mes parents ________ conseillé de planifier ________ itinéraire.
3. Ils ________ accompagné à l'aéroport, car c'est ________ premier vol.
4. Le douanier et l'agent de bord ________ demandé ________ billet avant ________ embarquement.

HOMOPHONES	EXEMPLES ET REMPLACEMENTS ⇆
leur	*lui* *Samuel* ***leur*** *fera visiter Venise.*
leur, leurs	*un* *Ils portent* ***leur*** *costume pour le carnaval.* *les* *Elles portent des rubans dans* ***leurs*** *cheveux.*
son	*le costume qui lui appartient ou le costume* *Elle a acheté* ***son*** *costume doré.*
sont	*étaient* *Les rues* ***sont*** *décorées pour l'occasion.*

p. 86, 166

1 a) Complétez les phrases par les homophones *leur* ou *leurs*.

b) Écrivez des remplacements possibles au-dessus des homophones.

la
Rose et Lucas ont laissé leur voiture à l'entrée de la ville.

Samuel _________ donne rendez-vous sur le pont des Soupirs. Je _________ propose une promenade en gondole pour _________ faire voir la ville « flottante ». Je réponds à toutes _________ questions et je _________ raconte des anecdotes historiques. ✲Parcourir la ville à pied _________ prendra moins d'une heure si _________ pas est rapide.

2 a) Complétez les phrases par les homophones *son* ou *sont*.

b) Écrivez des remplacements possibles au-dessus des homophones.

Rose et Lucas _________ descendus dans les rues et _________ entrés dans le défilé du carnaval. Rose dissimule _________ visage derrière _________ masque vénitien. Lucas ne reconnaît pas tout de suite _________ amie dans la foule, car les gens _________ tous déguisés. Comme ils _________ invités à un grand bal ce soir, Rose pratiquera les danses qu'elle a apprises durant _________ cours.

Nom : ______________________ Groupe : __________ Date : __________

HOMOPHONES	EXEMPLES ET REMPLACEMENTS
mes	*les jumelles qui m'appartiennent ou les jumelles* *Je te prête mes jumelles.*
mais	*cependant* *Je regarde, mais je ne vois rien.*
ou	*ou bien* *Prenons-nous un taxi ou le métro?*
où	*là où* *L'hôtel où nous allons est au centre-ville.*
	À quel endroit *Où allons-nous ?*

p. 160, 163

1 a) Complétez les phrases par les homophones *mes* ou *mais*.

b) S'il s'agit de la conjonction *mais*, soulignez les éléments coordonnés.

c) Encerclez le signe de ponctuation placé avant la conjonction *mais*.

Ex. : *Annabelle fait un signe à un taxi, mais il ne s'arrête pas.*

Je prendrais bien le métro , __________ j'ai __________ deux grosses valises à transporter. À l'hôtel, le réceptionniste me remet __________ clés et me suggère quelques bons restaurants pour __________ repas. J'enfile __________ chaussures les plus confortables , __________ pas les plus jolies. ✲ J'aimerais voir tous les endroits intéressants de New York , __________ __________ quelques jours de vacances ne sont pas suffisants.

2 a) Complétez les phrases par les homophones *ou* ou *où*.

b) S'il s'agit de la conjonction *ou*, soulignez les éléments coordonnés.

Ex. : *Le départ de l'autobus est à 9 ou 10 heures.*

Durant l'après-midi, Lisa s'arrête dans Central Park ________ elle fait un pique-nique. Elle désire aller se promener dans Time Square, mais elle ne sait pas ________ se trouve ce quartier. Elle hésite entre acheter un billet pour un ballet ________ une comédie musicale. ✲ Lors de son prochain séjour à New York, elle ira se promener au zoo ________ elle ira visiter un musée.

Nom : ______________________ Groupe : __________ Date : __________

HOMOPHONES	EXEMPLES ET REMPLACEMENTS ⇆
peu (un peu)	*Nous sommes peu pressés. India est un peu nerveuse.* (peu → ne sommes pas ; un peu → n'est pas)
peu de / d'	*Il y a peu de personnes à la billetterie.* (peu de → beaucoup de)
peux	*Je peux acheter ton billet.* (peux → pouvais)
peut	*Angie peut t'accompagner.* (peut → pouvait)
peut être	*L'attente peut être longue.* (peut être → pouvait être)
peut-être	*Il reste peut-être des places libres.* (peut-être → probablement)

p. 163

a) Complétez les phrases par les homophones *peu*, *peu de / d'*, *peux*, *peut*, *peut-être* ou *peut être*.

b) Indiquez la classe des mots que vous avez écrits. Pour cela :

- surlignez les adverbes ;
- encerclez les déterminants ;
- encadrez les verbes.

Ex. : *Peut-être qu'en se dépêchant un peu, Julie peut arriver au stade en peu de temps.*

Comme le rodéo de Calgary est très populaire, tu aurais ______________ dû réserver des billets. Il ______________ dangereux de participer à ces épreuves de rodéo. Le cheval ______________ démonter son cavalier en se cabrant. Certains ont______________ expérience et tombent rapidement. Je______________ apercevoir le prochain participant au concours de lasso. Il a l'air ______________ nerveux. Il ______________ le prochain champion s'il reste concentré. Mon ami Dylan va ______________ monter sur le taureau mécanique. Il y a______________ cavaliers capables de rester en selle plus de 30 secondes. ✲Je le félicite après sa performance : « Tu______________ être fier d'avoir gagné cette épreuve ».

Nom : ______________________ Groupe : ____________ Date : ______________

HOMOPHONES	EXEMPLES ET REMPLACEMENTS
qu'elle, qu'elles	*Je pense qu'elle (qu'il) nous attend.* *Tu espères qu'elles (qu'ils) viendront.*
quel, quelle, quels, quelles	*Quel (∅ qu'il) est ton horaire ?* *À quelle (∅ qu'il) heure seras-tu libre ?* *Quels (∅ qu'ils) musées veux-tu visiter ?* *Quelles (∅ qu'ils) vacances inoubliables !*

p. 164

1 a) Complétez les phrases par les homophones *quel*, *quelle*, *quels*, *quelles*, *qu'elle* ou *qu'elles*.

b) Soulignez les noms qui donnent leur accord aux déterminants que vous avez écrits. Écrivez au-dessus de ces noms leur genre et leur nombre.

c) Encerclez les verbes qui reçoivent leur accord des pronoms personnels que vous avez écrits. Écrivez la personne et le nombre au-dessus de ces verbes.

Ex. : *Je crois qu'elles s'amusent (3e pers. pl.) bien. Quel plaisir (m. s.) elles ont !*

1. Dès ______________ finissent de travailler, Rosalie et Cassandra doivent nous rejoindre.
2. ______________ animation il y a au Vieux-Port aujourd'hui !
3. Avez-vous vu ______________ beaux tableaux sont à vendre ici !
4. ______________ sont les films à l'affiche au cinéma ?
5. Pendant ______________ mangent une glace, elles discutent.
6. ______________ chapiteau de cirque est installé sur les quais ?
7. Camille s'ennuie un peu jusqu'à ce ______________ s'arrête pour regarder les amuseurs de rue.
8. ______________ expositions sont présentées dans ce musée ?
9. Je crois ______________ apprécieront les activités interactives.

2 Transformez les phrases ci-dessous en phrases exclamatives. Utilisez les déterminants exclamatifs *quel*, *quelle*, *quels* et *quelles*.

Ex. : *Nous avons eu une bonne idée.*

Quelle bonne idée nous avons eue !

1. Nous formons une équipe de patineurs formidable.

____

____

2. Nous relevons un défi sportif motivant.

____

____

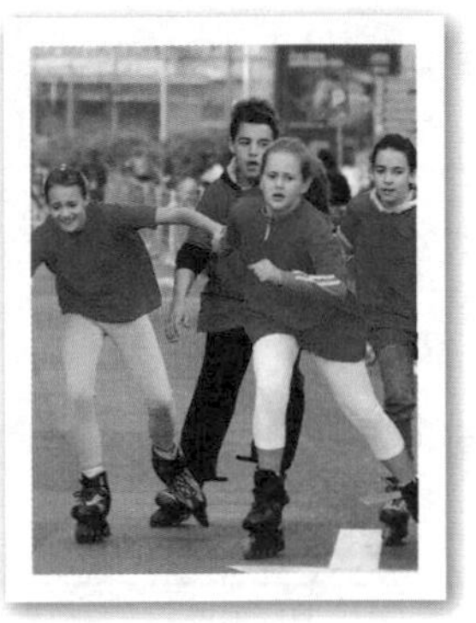

3. Nous fournissons de grands efforts durant le dernier kilomètre.

____

____

4. Nous recueillons des fonds essentiels pour des organismes communautaires.

____

____

5. Nous aidons plusieurs causes importantes.

____

____

3 a) Complétez les phrases ci-dessous par les homophones *qu'elle* ou *qu'elles*.

b) Soulignez les subordonnées compléments de phrase exprimant le temps.

Ex. : *Depuis qu'elles ont planifié ce séjour à Montréal, Laurie et Alexia ne cessent d'en parler.*

1. Dès ____________ traversent le pont, elles ressentent l'animation de la ville.

2. Laurie et elle se dirigent vers le Vieux-Montréal aussitôt ____________ arrivent.

3. Alexia admire la beauté du fleuve tandis ____________ attend son amie.

4. Depuis ____________ est ouverte, cette galerie d'art fait fureur.

5. La musique, sitôt ____________ commence, entraîne les deux filles dans la danse.

Nom : ______________________ Groupe : __________ Date : __________

HOMOPHONES

P 1re 2e ★★

Les noms et les verbes homophones

EN BREF

Certains verbes conjugués à la 3e personne au présent de l'indicatif se prononcent comme un nom appartenant à la même famille de mots, mais ces verbes ne s'écrivent pas comme ces noms.
Ex. : *À Bangkok, ils ont reçu un accueil chaleureux.*
À Bangkok, Dara les accueille chaleureusement.

p. 90

1 Ajoutez devant chacun des mots ci-dessous un déterminant ou un pronom qui convient.

1. ________ appel ________ appuie ________ balai

________ défi ________ gèle ________ salue

✲2. ________ délai ________ désir ________ étourdie

________ recueille ________ repli ________ vernit

2 a) Encerclez les homophones qui conviennent pour compléter les phrases ci-dessous.

Comment distinguer les noms des verbes homophones ? On peut conjuguer le verbe à un autre temps ou faire varier le nombre du nom.

1. Zoé, Alexia et Théo (parcours / parcourent) les rues sans but précis.
2. Dara leur (conseil / conseille) de se rendre dans le quartier de Thonburi où il y a des marchés flottants.
3. Pour ces femmes, le (réveil / réveille) est forcément très matinal, car elles commencent leur journée à 6 h.
4. Elles ont le (souci / soucie) de vendre leur marchandise rapidement.
5. La marchande (maintien / maintient) son bateau en équilibre pendant que les clients font leur choix.
6. Ils (essais / essaient) de négocier le prix de certains produits, mais la marchande refuse.

b) Dans la marge, deux moyens sont suggérés pour distinguer les noms des verbes homophones. Donnez deux autres moyens.

____

____

Nom : ______________________ Groupe : ____________ Date : ______________

Pour faire le point

Les homophones

p. 85-90, 155-168

Complétez le texte ci-dessous en écrivant les homophones qui conviennent selon les numéros indiqués.

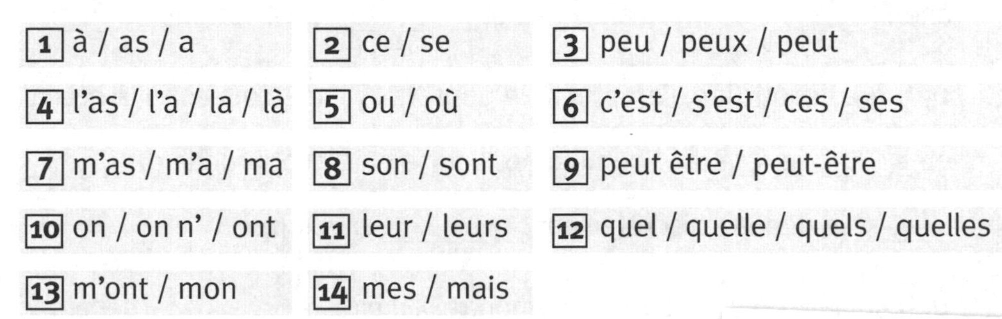

1 à / as / a	2 ce / se	3 peu / peux / peut
4 l'as / l'a / la / là	5 ou / où	6 c'est / s'est / ces / ses
7 m'as / m'a / ma	8 son / sont	9 peut être / peut-être
10 on / on n' / ont	11 leur / leurs	12 quel / quelle / quels / quelles
13 m'ont / mon	14 mes / mais	

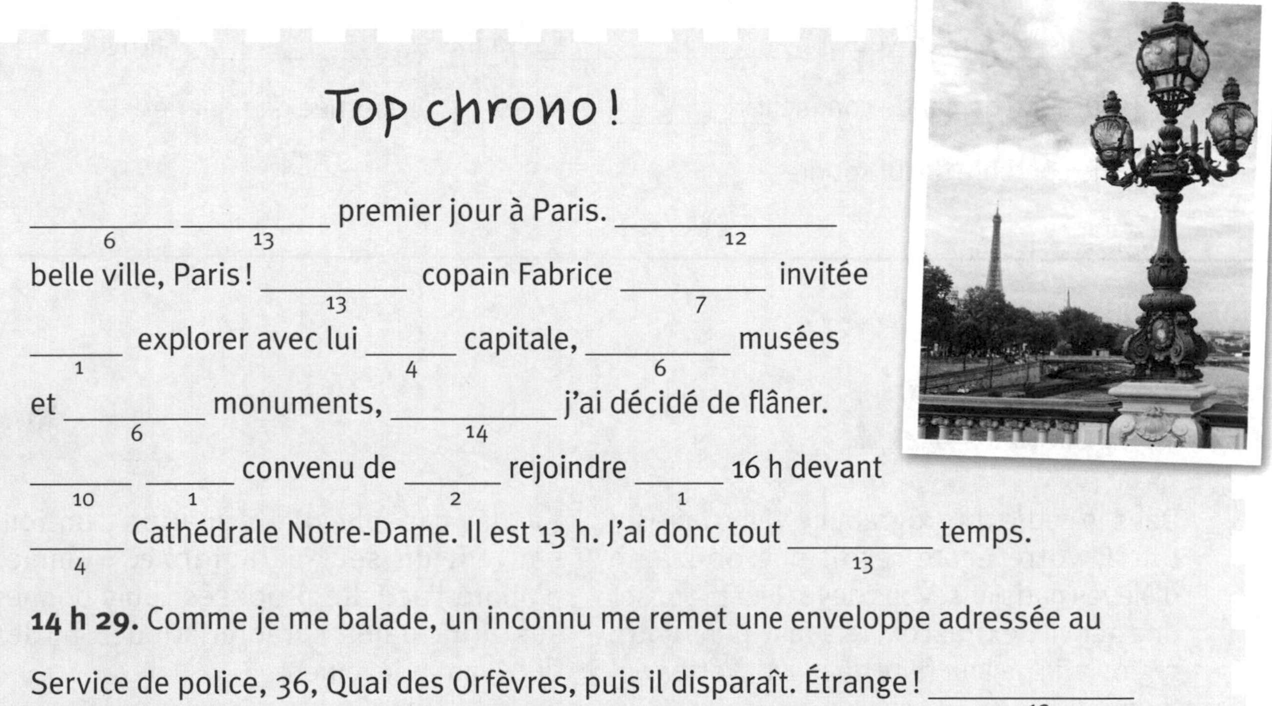

Top chrono !

_______ (6) _______ (13) premier jour à Paris. _______ (12) belle ville, Paris ! _______ (13) copain Fabrice _______ (7) invitée _______ (1) explorer avec lui _______ (4) capitale, _______ (6) musées et _______ (6) monuments, _______ (14) j'ai décidé de flâner. _______ (10) _______ (1) convenu de _______ (2) rejoindre _______ (1) 16 h devant _______ (4) Cathédrale Notre-Dame. Il est 13 h. J'ai donc tout _______ (13) temps.

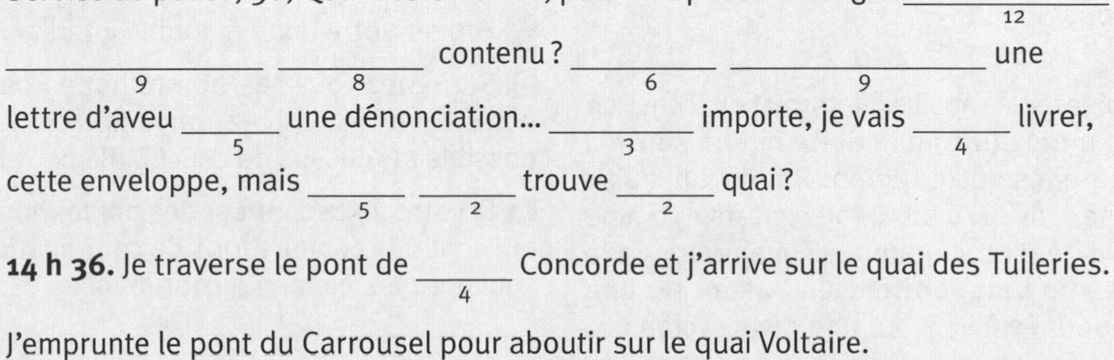

14 h 29. Comme je me balade, un inconnu me remet une enveloppe adressée au Service de police, 36, Quai des Orfèvres, puis il disparaît. Étrange ! _______ (12) _______ (9) _______ (8) contenu ? _______ (6) _______ (9) une lettre d'aveu _______ (5) une dénonciation… _______ (3) importe, je vais _______ (4) livrer, cette enveloppe, mais _______ (5) _______ (2) trouve _______ (2) quai ?

14 h 36. Je traverse le pont de _______ (4) Concorde et j'arrive sur le quai des Tuileries.

J'emprunte le pont du Carrousel pour aboutir sur le quai Voltaire.

Nom : ______________________ Groupe : __________ Date : __________

______ [12] chemin dois-je prendre ? ______ [6] difficile de s'y retrouver sans plan.

15 h 24. Je file sur le pont des Arts et je me retrouve sur le quai du Louvre. Je me demande alors combien de quais il ______ [3] y avoir à Paris. Je croise des promeneurs. Je ______ [11] demande ______ [12] pont me conduira ______ [5] je veux aller. Ils ______ [8] très aimables et ______ [11] explications ______ [8] claires.

15 h 49. Essoufflée, j'emprunte le pont Neuf. J'aperçois enfin le quai des Orfèvres et ______ [4], je repère le numéro 36. J'entre et je m'approche de ______ [4] réception, ______ [5] je dépose discrètement ______ [13] enveloppe.

15 h 56. Je jette un œil à ______ [7] montre. Il me reste ______ [3] de temps avant ______ [13] rendez-vous, ______ [14] ______ [6] tout près. ______ [1] ______ [13] arrivée, Fabrice me demande comment ______ [6] passée ______ [7] journée de flânerie. Je me contente de lui sourire.

Marie Sylvie LEGAULT

TEXTE *EXPRESS*

p. 130-131

Dans le cadre du programme Viens faire un tour !, votre école reçoit une douzaine d'élèves parisiens. Vous devez leur proposer une activité extrascolaire à faire dans votre région afin de leur faire découvrir votre coin de pays.

■ ■ ■

Rédigez une capsule d'information d'environ 100 mots sur une activité intéressante à faire dans votre région. Il pourrait s'agir d'une activité culturelle ou récréative comme la visite d'un monument, une promenade dans un parc, un tour en bateau ou une randonnée à vélo sur une piste cyclable.

■ ■ ■

1. Une capsule d'information contient souvent un seul paragraphe. Nommez d'abord l'activité proposée, puis donnez ses principales caractéristiques en les décrivant brièvement.
2. Écrivez votre texte à double interligne.
3. Surlignez tous les homophones dans votre texte et écrivez un remplacement possible au-dessus de chacun d'eux.
4. Si votre texte contient des homophones qui sont des conjonctions de coordination, soulignez les éléments coordonnés.

7

Comment accorder les mots ?

Les accords dans le groupe nominal EN BREF

P 1re 2e
★ ★ ★

Dans le groupe nominal, le nom donne son genre et son nombre au déterminant et à l'adjectif avec lesquels il est en relation. Ces mots deviennent ainsi des receveurs d'accord.

Ex. : *Maria fait [une longue **croisière**] à bord d'[un **navire** luxueux].* (f. s. ; m. s.)

p. 91

1 a) Soulignez les groupes nominaux dans les phrases ci-dessous.

b) Récrivez ces phrases en remplaçant les déterminants et les adjectifs par d'autres de même genre et de même nombre.

Connaître les règles d'accord dans les GN et les appliquer correctement permet de montrer quels noms, déterminants et adjectifs sont reliés les uns aux autres.

Ex. : Le bateau accostera sur des îles tropicales.

*Ce bateau accostera sur **plusieurs** îles **paradisiaques**.*

1. Maria traverse la longue passerelle, puis elle débarque sur le pont étincelant de propreté.

____

____

2. Je m'installe dans une cabine confortable, puis je défais les lourdes valises.

____

____

3. Je savoure un repas copieux en agréable compagnie.

____

____

4. Lors de la première soirée, elle assiste à un spectacle inoubliable.

____

____

Nom : ______________________ Groupe : __________ Date : __________

2 a) Complétez les phrases ci-dessous en accordant en genre et en nombre les déterminants et les adjectifs entre crochets.

b) Soulignez les noms avec lesquels ils sont en relation.

Comment vérifier si un adjectif est employé au bon genre ou au bon nombre lorsqu'il ne varie pas à l'oral ? On peut le remplacer par un adjectif qui varie à l'oral.
Ex. : *une mer salée* → *une mer dangereuse*, *des océans profonds* → *des océans tropicaux*.

Ex. : *William hisse la grand-voile blanche en quelques minutes.* ([le] [blanc] [quelque])

1. Lorsqu'il prend ________ [le] mer à bord de ________ [son] ________ [somptueux] voilier, ________ [le] ________ [premier] rayons de soleil apparaissent tout juste.

2. Grâce à ________ [quelque] coups de pinceau, ________ [son] bateau à voiles a ________ [fier] allure.

3. ________ [un] vent ________ [constant], ________ [un] mer ________ [calme] et ________ [un] ________ [beau] météo sont des conditions ________ [idéal] pour naviguer.

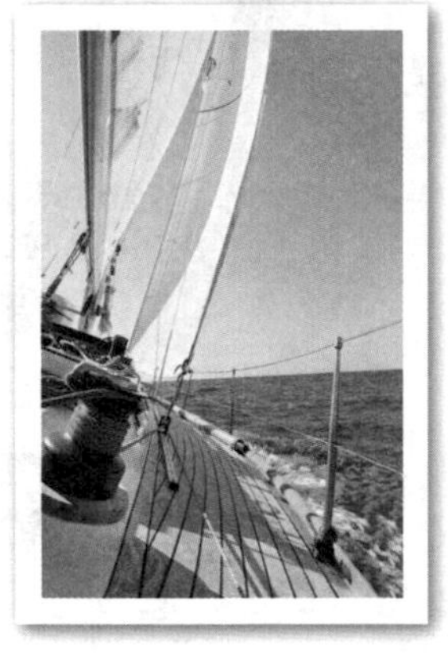

4. Pour s'orienter, William utilise ________ [un] système de localisation ________ [précis].

5. Il éprouve ________ [beaucoup de] plaisir à faire ________ [ce] sorties en mer ________ [hebdomadaire].

3 a) Dans les phrases ci-dessous, soulignez les noms donneurs d'accord dans les groupes nominaux entre crochets.

b) Biffez les déterminants et les adjectifs mal orthographiés et récrivez-les correctement au-dessus.

Ex. : *[Le lundi], [les passagers] font [~~un~~ (une) escale rapide].*

ERREURS !

1. Ils visitent [un village isolés] sur [une côte sablonneuse].

2. [La population local] les accueille gentiment.

3. Ils achètent [des produits artisanales] et [des fruits juteux].

4. À [leurs retour], ils partagent [leur expérience].

* 5. [Bien des voyageurs] descendront encore à [l'arrêt suivante] dans [quelque jours].

Nom : ______________________ Groupe : __________ Date : __________

4 Dans le texte ci-dessous, corrigez les erreurs d'accord dans les groupes nominaux. Pour cela :

- placez tous les groupes nominaux entre crochets ;
- biffez et corrigez les déterminants et les adjectifs mal orthographiés dans ces groupes ;

Pour vous aider, des indications sont données entre crochets après chaque paragraphe.

Suivre le rythme des tambours

Après s'être entraînée durant tous le mois, l'équipe de Benjamin participe à une première course de bateaux-dragons. Les coéquipiers s'installent à leur place habituel dans la longue embarcation. Comme tous les autre participants, ils attendent sur la ligne de départ. [8 GN, 3 erreurs]

Un coup de klaxon annonce le début de la course. Les vingts pagayeurs effectuent un excellent départ. Anaïs, leursjoueuse de tambour, leur impose un rythme rapides dès les première secondes. Les bateaux en compétition se suivent de près, puis certains se détachent. Le bateau de Benjamin se retrouve en tête avec un bateau concurrents. Une foule joyeuse les encourage sur la rive droit. La ligne d'arrivée n'est plus très loin. Les pagayeurs essoufflés fournissent leurs derniers efforts. Aucun n'abandonne. [15 GN, 6 erreurs]

Les deux bateaux ont mené une lutte serré, mais il y a un seule gagnant. Benjamin et ses amis ont perdu cet course, mais ils sont tout de même fiers d'avoir rivalisé avec ces adversaires acharnés jusqu'à la fin. [8 GN, 3 erreurs]

Ils obtiennent une second place. Pas trop mal pour des débutants ! [2 GN, 1 erreur]

Nom : ______________________ Groupe : __________ Date : __________

L'accord de l'adjectif avec plusieurs noms

P 1re 2e
★ ★ ★

EN BREF

Quand l'adjectif qualifie deux ou plusieurs noms coordonnés :

– l'adjectif s'accorde au féminin pluriel si tous les noms sont féminins ;

Ex. : *J'ai une bicyclette* (f. s.) *et une trottinette* (f. s.) *neuves* (f. pl.).

– l'adjectif s'accorde au masculin pluriel dans tous les autres cas.

Ex. : *J'ai terminé la vérification* (f. s.) *et l'entretien* (m. s.) *réguliers* (m. pl.) *de ma bicyclette.*

p. 97

a) Dans les phrases ci-dessous, écrivez correctement les adjectifs entre crochets. ! Un adjectif peut qualifier un seul des noms coordonnés.

b) Pour vérifier vos réponses, reliez ces adjectifs aux noms qu'ils complètent comme dans l'exemple. Écrivez au-dessus des noms leur genre et leur nombre.

Ex. : *Mélinda porte un chandail* (m. s.) *et un short* (m. s.) *rouges. [rouge]*

1. J'ai apporté une pompe et une bouteille ______________ d'eau. [plein]

2. Laurie a un porte-bagage et un porte-bouteille bien ______________ sur sa bicyclette. [utile]

3. Tu as le dos et les jambes ______________. [endolori]

4. Tu portes des espadrilles et un casque ______________ pour aller à vélo. [protecteur]

5. Je préfère rouler sur les sentiers ou les pistes ______________ aux cyclistes. [réservé]

✲6. ______________ de leur longue promenade, Mélinda et Laurie se reposent à l'ombre d'un arbre. [fatigué]

✲7. ______________ depuis peu, un pont et une piste cyclable permettent de faire le tour de l'île. [ouvert]

Nom : ______________________ Groupe : __________ Date : __________

L'accord de l'adjectif attribut du sujet

P 1re 2e

EN BREF

L'adjectif attribut du sujet reçoit le genre et le nombre du noyau du GN sujet ou du pronom sujet de la phrase.

Ex. : *Charles et Olivia sont excités d'essayer un gyropode.* (Charles : m. s. ; Olivia : f. s. ; excités : m. pl.)

p. 49-50, 97

1 a) Dans les phrases ci-dessous, soulignez le GN sujet ou le pronom sujet et écrivez au-dessus son genre et son nombre.

b) Écrivez correctement les adjectifs attributs du sujet proposés.

Connaître la règle d'accord de l'adjectif attribut du sujet et l'appliquer correctement permet de montrer à quel nom ou pronom chaque attribut est relié.

Ex. : *Olivia* (f. s.) *semble très douée pour contrôler cette machine.* [*doué*]

1. Charles reste ______________ de voir son amie aussi habile. [surpris]
2. Après peu de temps, les deux conducteurs sont ______________ de se diriger là où ils veulent. [capable]
3. Cette journée de vacances sera vraiment ______________. [amusant]
4. Olivia et lui sont ______________ à partir à la découverte des rues. [prêt]

2 a) Dans les phrases ci-dessous, soulignez les adjectifs attributs du sujet et écrivez au-dessus leur genre et leur nombre.

b) Écrivez entre les parenthèses des adjectifs de remplacement.
⚠ Proposez des adjectifs qui varient à l'oral quand on les met au féminin ou au pluriel.

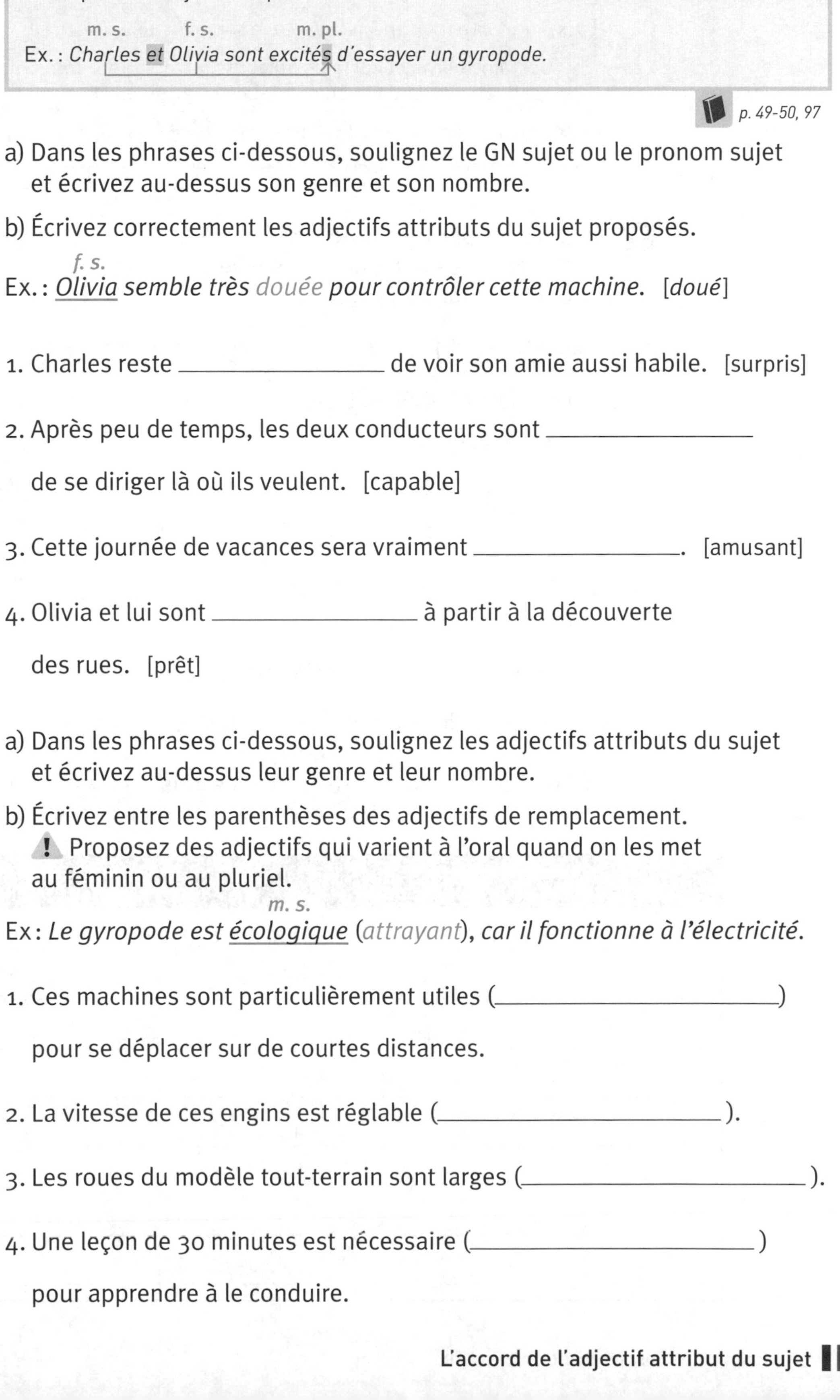

Ex : *Le gyropode est écologique* (m. s.) (attrayant), *car il fonctionne à l'électricité.*

1. Ces machines sont particulièrement utiles (______________) pour se déplacer sur de courtes distances.
2. La vitesse de ces engins est réglable (______________).
3. Les roues du modèle tout-terrain sont larges (______________).
4. Une leçon de 30 minutes est nécessaire (______________) pour apprendre à le conduire.

Nom : ______________________ Groupe : __________ Date : __________

Le féminin des noms et des adjectifs

P 1re 2e

EN BREF

- Le féminin du nom et de l'adjectif se forme généralement par le simple ajout d'un *e* au mot masculin.

Ex. : *un surveillant spécialisé → une surveillante spécialisée*

- Certains noms et certains adjectifs forment leur féminin avec une finale particulière qui se termine toujours par un *e*.

Ex. : *un utilisateur régulier → une utilisatrice régulière*

p. 91-92, 98-99

1 a) Dans les phrases ci-dessous, repérez les noms utilisés pour désigner des personnes et soulignez les groupes nominaux dont ils sont les noyaux.

Ex. : *Plus tard, je serai un instructeur de vol certifié.*

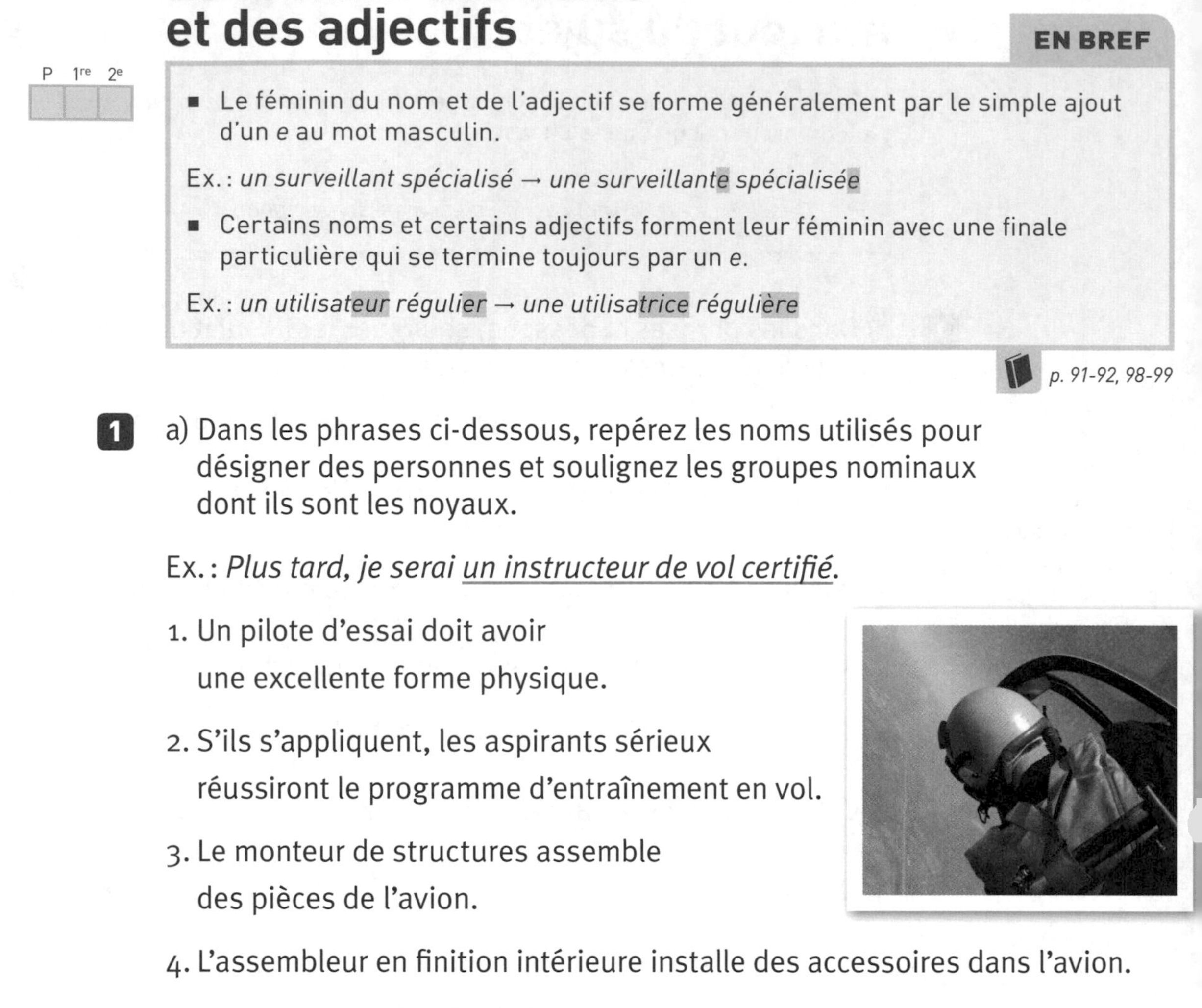

1. Un pilote d'essai doit avoir une excellente forme physique.
2. S'ils s'appliquent, les aspirants sérieux réussiront le programme d'entraînement en vol.
3. Le monteur de structures assemble des pièces de l'avion.
4. L'assembleur en finition intérieure installe des accessoires dans l'avion.

✲ 5. Dans un avion, la sécurité de tous les passagers est primordiale.

b) Transcrivez dans le tableau ci-dessous les groupes nominaux que vous avez soulignés et écrivez ces groupes nominaux au féminin.

GROUPES NOMINAUX DONT LE NOYAU EST UN NOM MASCULIN	GROUPES NOMINAUX DONT LE NOYAU EST UN NOM FÉMININ
Ex. : *un instructeur de vol certifié*	Ex. : *une instructrice de vol certifiée*

Nom : ______________ Groupe : ______ Date : ______

2 a) Écrivez les groupes nominaux ci-dessous au féminin.

Ex. : *un agent de bord souriant* *une agente de bord souriante*

1. un aviateur militaire ______
2. un nouveau capitaine ______
3. un jeune passant ______
4. un commandant discret ______
5. un excellent conducteur ______
6. un contrôleur aérien ______
7. un débosseleur minutieux ______
8. un ingénieur exceptionnel ______
9. un mécanicien qualifié ______
10. un copilote professionnel ______
11. un piéton pressé ______
12. un bon chauffeur ______

b) Parmi les mots ci-dessus, surlignez deux noms et deux adjectifs qui ne varient pas en genre.

c) Classez les noms et les adjectifs masculins en a) qui varient en genre selon la façon dont ils forment leur féminin.

RÈGLE GÉNÉRALE	RÈGLES PARTICULIÈRES	
AJOUT D'UN *e*	DOUBLEMENT DE LA CONSONNE FINALE ET AJOUT D'UN *e*	AUTRE FINALE SE TERMINANT PAR UN *e*
Ex. : *agent*		
Ex. : *souriant*		

Nom : ______ Groupe : ______ Date : ______

Le pluriel des noms et des adjectifs

P 1re 2e

EN BREF

- Le pluriel du nom et de l'adjectif se forme généralement par le simple ajout d'un *s* au mot singulier.

Ex. : *un camion lourd → des camions lourds*

- Certains noms et certains adjectifs qui ont une finale particulière ne forment pas leur pluriel par l'ajout d'un *s* ou présentent des irrégularités.

Ex. : *un gros radeau → des gros radeaux*

p. 92-93, 100

1 a) Écrivez les groupes nominaux ci-dessous au pluriel.

Ex. : *un hélicoptère rapide* *des hélicoptères rapides*

1. un avion commercial ______
2. un bateau luxueux ______
3. un cheval fringant ______
4. un feu clignotant ______
5. un pneu crevé ______
6. un autobus express ______
7. un travail manuel ______
8. un nouveau voilier ______

b) Classez les noms et les adjectifs singuliers ci-dessus selon la façon dont ils forment leur pluriel.

RÈGLE GÉNÉRALE		
AJOUT D'UN *S*		
Ex. : *hélicoptère*		
Ex. : *rapide*		
RÈGLES PARTICULIÈRES		
AJOUT D'UN *X*	**AUTRES FINALES**	**AUCUN CHANGEMENT**

Nom : ____________________ Groupe : __________ Date : __________

2 Écrivez correctement les groupes nominaux ci-dessous au singulier ou au pluriel.

GN au singulier	GN au pluriel
Ex. : *une automobile compacte*	*des automobiles compactes*
1. une barque légère	______
2. un billet électronique	______
3. ______	de vieux camions
4. un choix avantageux	______
5. ______	des écrous rouillés
6. un endroit précis	______
7. un garage municipal	______
8. une montgolfière colorée	______
9. ______	des motocyclettes bleues
10. ______	des ponts suspendus
11. un rail vertical	______
12. ______	des taxis jaunes
13. un train monorail	______
14. une traverse piétonnière	______
15. ______	des vols internationaux

3 Complétez les groupes nominaux ci-dessous par un nom ou un adjectif au singulier, puis récrivez ces groupes au pluriel.

GN au singulier	GN au pluriel
Ex. : *un atterrissage* *réussi*	*des atterrissages réussis*
1. ce ______ cahoteux	______
2. la gare ______	______
3. un panneau ______	______
4. la ______ cyclable	______
5. un réservoir ______	______
6. une route ______	______
7. une ______ ferrée	______

Nom : ______ Groupe : ______ Date : ______

L'accord du verbe

P 1re 2e

EN BREF

- Le verbe reçoit la personne et le nombre du nom noyau du GN sujet ou du pronom sujet.

Ex. : *Les gens marchent vers la station de métro.* (sujet : Les gens)

- Si deux sujets ou plus de la 3e personne sont coordonnés, le verbe s'accorde à la 3e personne du pluriel.

Ex. : *Mégane, Raphaelle et Lucas attendent la prochaine rame de métro.* (Mégane : 3e pers. s. ; Raphaelle : 3e pers. s. ; Lucas : 3e pers. s. → Ils, 3e pers. pl.)

p. 102-103

Connaître les règles d'accord du verbe et les appliquer correctement permet de montrer à quel nom sujet ou pronom sujet les verbes sont reliés.

1 a) Complétez les phrases ci-dessous par des verbes conjugués au présent de l'indicatif.

b) Pour vérifier vos réponses, soulignez le nom noyau du GN sujet.

Ex. : *La station de métro la plus proche se situe à 15 minutes de marche.*

Comment reconnaître le sujet lorsqu'un groupe de mots ou un pronom fait écran entre le sujet et le verbe ? Le sujet ne peut pas être supprimé, mais le groupe de mots et le pronom écrans peuvent l'être.

1. Une rame de huit wagons ______ à la station.

2. Mégane, ma compagne de voyage, ______ une place pour s'asseoir.

3. Une vieille dame nous ______ un siège libre.

4. Nous la ______ de nous faire une place.

5. La voix dans le haut-parleur ______ le prochain arrêt.

6. Plusieurs personnes de son quartier ______ là.

7. Des musiciens, pour distraire la foule, ______ de la flûte à la sortie.

8. Avant de rentrer chez lui, Lucas les ______ jouer.

Nom : ______ Groupe : ______ Date : ______

ACCORDS

2 a) Dans les phrases ci-dessous, soulignez les sujets coordonnés et encerclez les coordonnants.

b) Complétez les phrases en conjuguant le verbe entre crochets au présent de l'indicatif.

Comment déterminer la personne et le nombre de plusieurs sujets coordonnés ? On peut les remplacer par un seul pronom.

Ex. : *Béatrice, Léonie et Alexis planifient un voyage à travers le Canada. [planifier]*

1. Des brochures et une carte ______ sur la table de la cuisine. [être]

2. Confortablement assis, elles et lui les ______ avant leur départ. [consulter]

✲ 3. Les provinces maritimes de même que la Gaspésie ______ sur leur itinéraire. [figurer]

4. Alexis ainsi que ses deux amis ______ partir dès le début de l'été. [espérer]

3 a) Dans les phrases ci-dessous, soulignez les noms noyaux des GN sujets et les pronoms sujets.

b) Corrigez l'accord des verbes au besoin.

ERREURS !

Comment choisir la bonne forme d'un verbe si plusieurs formes de ce verbe se prononcent de la même façon ? On peut modifier le temps du verbe. Ex. : *tu aimes → tu aimeras, ils aiment → ils aimeront.*

Ex. : *L'autobus bondé de gens ~~arrivent~~ arrive avec un peu de retard.*

1. Le chauffeur d'autobus nous souhaitent la bienvenue.

2. Les pièces de monnaie tombe en cliquetant dans la boîte.

3. Florence ainsi que Coralie préfèrent rester debout tout le long du trajet.

4. À l'arrivée de votre amie, vous lui fait la bise.

5. Une dame, après avoir trouvé un de ses billets, le dépose dans la boîte de perception.

4 a) Dans les phrases ci-dessous, encerclez les verbes placés entre parenthèses correctement orthographiés.

b) Conjuguez ces verbes au futur simple de l'indicatif pour justifier votre réponse.

patientera

Ex. : *Sandrine, ma voisine, (patiente – patientent) dans l'abribus.*

1. L'autobus de la ville, à cause des conditions routières difficiles, (arrive – arrivent) avec un peu de retard.

2. Ses copines et elle (discute – discutent) de la fin de semaine passée.

3. Sans oublier le moindre détail, je leur (raconte – racontes) le dernier film à l'affiche au cinéma.

4. Coralie, Florence ainsi que Chloé me (demandes – demandent) de ne pas révéler la fin de l'histoire.

5 Utilisez tous les verbes ci-dessous pour compléter les phrases. Conjuguez-les au présent de l'indicatif et faites les accords nécessaires.

- arriver
- changer
- dormir
- être
- faire
- préparer

Ex. : *Gabriel et Rose* font *le tour de l'Europe en train.*

1. Durant les trajets de nuit, ils ______ dans une voiture-lit.

2. Un chef cuisinier leur ______ de délicieux repas dans la voiture-restaurant.

3. Gabriel et elle, grâce à ces commodités, ______ toujours en pleine forme à destination.

4. Les horaires de train ______ rarement.

5. Comme les voyages en train ______ plaisants !

Nom : ______________________ Groupe : ____________ Date : ____________

Pour faire le point

Les accords

p. 91-104

1 a) Complétez le poème ci-dessous en conjuguant les verbes entre crochets au présent de l'indicatif.

b) Relisez le poème, puis répondez aux questions qui suivent.

ERREURS !

L'avion

L'avion, aux fond du ciel claire,

Se promène dans les étoiles,

Tout comme la barques à voile

Vont sur la mer.

5 C'est un moulin des anciens âges

Qui soudain a quitté le sol

Et qui, par-dessus les villages

A pris son vol.

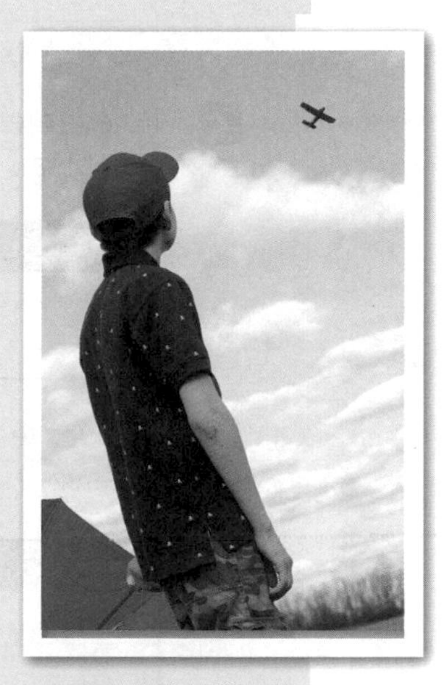

Les oiseaux ____________ peur de ses ailes, [avoir]

10 Mais les enfants le ____________ beau, [trouver]

Ce grand cerf-volant sans ficelles

Qui ____________ si haut. [aller]

Mais plus tard, en aéroplane

Plus hardi que les plus hardis,

15 Je ____________ bien aller sans panne [compter]

Au paradis.

Lucie DELARUE-MARDRUS (1874-1945).

2 a) Placez entre crochets les cinq GN des lignes 1 à 4.

b) Repérez les trois mots mal orthographiés dans ces GN. Biffez-les et corrigez-les.

3 Complétez les phrases ci-dessous pour justifier l'accord des mots suivants.

a) À la ligne 5, le mot « anciens » est un ____________ [classe du mot] qui s'accorde au ____________________ [genre et nombre] avec le nom ________________.

b) À la ligne 16, le mot « Au » est un ______________ [classe du mot] qui s'accorde au ____________________ [genre et nombre] avec le nom ________________.

4 Relevez les adjectifs des lignes 1 à 12 du poème et classez-les dans le tableau selon la façon dont ils forment leur féminin.

AJOUT D'UN *-e*	AUTRES FINALES

5 Relevez les noms et les adjectifs au pluriel des lignes 9 à 16 du poème et classez-les dans le tableau selon la façon dont ils forment leur pluriel.

AJOUT D'UN *-s*		AUTRES FINALES
		–

TEXTE *EXPRESS*

Dans le cadre de la Semaine des sciences et de la technologie, votre école organise un concours d'avions en papier. Chaque élève doit construire un avion qu'il devra lancer dans la cour de récréation. L'élève dont l'avion atteindra le point le plus éloigné sera déclaré vainqueur.

■ ■ ■

Rédigez une marche à suivre pour construire un avion en papier et présentez la liste du matériel nécessaire. Fournissez au besoin des croquis des étapes de la construction.

■ ■ ■

1 Dans votre texte, soulignez les GN et vérifiez les accords.

2 Utilisez l'impératif présent à la 2e personne du pluriel pour rédiger vos consignes.

8 Comment conjuguer les verbes ?

Le système de conjugaison

P 1re 2e

Connaître les régularités du système de conjugaison aide à conjuguer un très grand nombre de verbes.

EN BREF

- Le verbe comprend deux parties : le radical et la terminaison.
- Le radical se trouve au début du verbe. Il porte le sens du verbe.

Ex. : *je parle, nous écoutons, je réussirai, nous avertissions*

- La terminaison se trouve à la fin du verbe. Elle change selon le mode, le temps, la personne et le nombre du verbe.

Ex. : *je conserve, nous conservons, je conserverai, que nous conservions*

p. 107-108

1 a) Encerclez la terminaison de chacun des verbes ci-dessous.

b) Écrivez l'infinitif des verbes conjugués et précisez à quel temps et à quel mode ils sont conjugués.

Ex. : *je bricolais : bricoler, imparfait de l'indicatif*

1. nous réutiliserons : ____________________

2. vous fourniriez : ____________________

3. conservé : ____________________

4. rebâtissez : ____________________

5. tu rapportes : ____________________

6. j'économise : ____________________

7. il / elle adapta : ____________________

8. tu réussiras : ____________________

9. finissant : ____________________

Nom : ______________________ Groupe : __________ Date : ______________

2 a) Soulignez les verbes dans le texte ci-dessous.

L'écotourisme

Faire de l'écotourisme, c'est visiter des milieux naturels en se préoccupant de les préserver. De plus en plus de gens respectent les règles de l'écotourisme pour se rapprocher de la nature.

10 règles de l'écotourisme

1. S'informer avant de partir explorer un milieu naturel.
2. Faire des activités en petits groupes.
3. Rester dans les sentiers.
4. Ne pas déranger les animaux en se déplaçant calmement.
5. Observer les animaux à distance.
6. Ne pas nourrir les animaux.
7. Ne pas endommager les végétaux.
8. Choisir des produits durables et biodégradables.
9. Utiliser un équipement non nuisible à l'environnement.
10. Rapporter ses déchets et les déposer dans les poubelles.

Camille LAFLEUR, *Naturophile*, vol. 2, n° 3, novembre 2011, p. 2. (Source fictive.)

b) Transcrivez, dans le tableau ci-dessous, les verbes soulignés en a) qui suivent les modèles de conjugaison des verbes *aimer*, *nager*, *placer* ou *finir* et surligner les autres verbes dans le texte.

MODÈLES DE CONJUGAISON			
Aimer	____ ____ ____ ____	____ ____ ____ ____	____ ____ ____ ____
Nager			–
Placer		–	–
Finir			–

Nom : ______________________ Groupe : __________ Date : __________

Les verbes *avoir* et *être*

P 1re 2e

EN BREF

- Les verbes *avoir* et *être* sont des verbes irréguliers.
- Lorsqu'on conjugue un verbe à un temps composé, on utilise le verbe *avoir* ou *être* comme auxiliaire suivi du participe passé du verbe.

Ex. : *Ils* *ont* (aux.) *modifié* (p. p.) *leurs habitudes de vie.* *Elle est* (aux.) *devenue* (p. p.) *plus écoresponsable.*

p. 108-109, 175-176

1 Dans les tableaux ci-dessous, conjuguez les verbes aux temps simples de l'indicatif et accordez-les avec les pronoms demandés.

AVOIR	
TEMPS DE L'INDICATIF	CONJUGAISON
présent	il ______
imparfait	tu ______
futur simple	nous ______
conditionnel présent	j' ______
imparfait	elles ______
futur simple	tu ______
conditionnel présent	vous ______

ÊTRE	
TEMPS DE L'INDICATIF	CONJUGAISON
imparfait	nous ______
conditionnel présent	elle ______
présent	je ______
conditionnel présent	tu ______
futur simple	vous ______
présent	ils ______
imparfait	j' ______

2 Ajoutez les auxiliaires *avoir* ou *être* aux verbes ci-dessous pour former les temps composés de l'indicatif et conjuguez-les aux personnes demandées.

1. passé composé — j' ______ réparé
2. plus-que-parfait — nous ______ allés
3. conditionnel passé — vous ______ terminé
4. futur antérieur — tu ______ revenu
5. plus-que-parfait — nous ______ réagi
6. conditionnel passé — ils ______ fermé
7. futur antérieur — tu ______ changé
8. passé composé — elle ______ ramassé

3 Dans les phrases ci-dessous, conjuguez le verbe *avoir* aux temps et aux modes indiqués.

Ex. : *Le Canada a les ressources naturelles pour produire de l'énergie verte. [présent de l'indicatif]*

1. Nous ______ toujours besoin d'énergie, mais les sources d'énergie vont se diversifier. [futur simple de l'indicatif]
2. Nous ______ intérêt à utiliser des sources d'énergie propre. [conditionnel présent de l'indicatif]
3. Les énergies renouvelables ______ l'avantage d'être inépuisables. [présent de l'indicatif]
4. Vous ______ plusieurs solutions intéressantes à considérer. [présent de l'indicatif]
5. Des environnementalistes ______ le mandat de commenter le projet. [imparfait de l'indicatif]
6. J' ______ quelques questions à te poser. [conditionnel présent de l'indicatif]
7. ______-tu un moment à m'accorder au cours de la journée ? [futur simple de l'indicatif]

4 Dans les phrases ci-dessous, conjuguez le verbe *être* aux temps et aux modes indiqués.

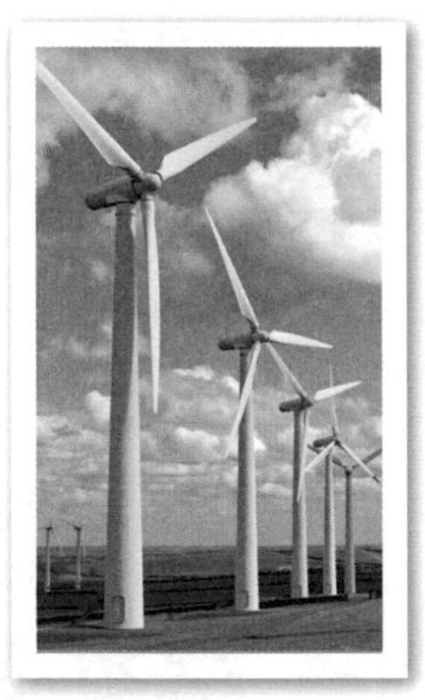

Ex. : *Le parc d'éoliennes est un projet mis en place dans la région. [présent de l'indicatif]*

1. Au départ, certaines personnes ______ contre cette proposition. [imparfait de l'indicatif]
2. L'énergie ______ essentielle, il faut trouver des sources d'énergie renouvelable. [participe présent]
3. Les éoliennes ______ une alternative prometteuse pour produire de l'énergie électrique. [conditionnel présent de l'indicatif]
4. Un terrain plat et dégagé ______ nécessaire pour y installer des éoliennes. [futur simple de l'indicatif]
5. ______ plus économes dans notre consommation d'énergie ! [présent de l'impératif]
6. Nous ______ certains de faire un bon choix pour l'avenir de la planète. [présent de l'indicatif]
7. Les habitants de la région ______ désireux de connaître toutes les étapes du projet. [futur simple de l'indicatif]

Nom : ______________________ Groupe : __________ Date : __________

Le présent et le passé composé de l'indicatif

P 1re 2e

EN BREF

FORMATION DU PRÉSENT DE L'INDICATIF		
Terminaisons des verbes en *-er* : *-e, -es, -e, -ons, -ez, -ent*		
Verbes en -**er** comme *aimer*	*j'aim**e***	*nous aim**ons***
Verbes en -**cer** comme *placer*	*je plac**e***	*nous plaç**ons***
Verbes en -**ger** comme *nager*	*je nag**e***	*nous nage**ons***
Terminaisons de la plupart des autres verbes : *-s, -s, -t, -ons, -ez, -ent*		
Verbes en -**ir** comme *finir* * *qui font *-issant* au participe présent	*je fini**s***	*nous finiss**ons***

FORMATION DU PASSÉ COMPOSÉ DE L'INDICATIF		
Auxiliaire *avoir* ou *être* au présent **+** participe passé du verbe	*j'**ai** aimé*	*nous **aurons** aimé*
	*je **suis** allé / allée*	*nous **sommes** allés / allées*

p. 105-106, 169-203

a) Dans les phrases ci-dessous, soulignez les noms noyaux des GN sujets ou les pronoms sujets, puis conjuguez les verbes entre crochets au présent de l'indicatif.

Ex. : *Les élèves déposent leurs papiers dans le bac de recyclage. [déposer]*

1. Nous ______________ seulement les sacs d'école brisés. [remplacer]
2. Sophie ______________ des cahiers en papier recyclé. [choisir]
3. Nous ______________ la cartouche d'encre. [recharger]
4. Les enseignants ______________ les efforts des élèves. [applaudir]
5. Tu ______________ après la classe pour éteindre les lumières. [rester]

b) Conjuguez les verbes en a) au passé composé de l'indicatif. Utilisez les mêmes pronoms sujets ou remplacez les GN sujets par les pronoms appropriés.

Ex. : *Ils ont déposé* ______________ ______________

______________ ______________

______________ ______________

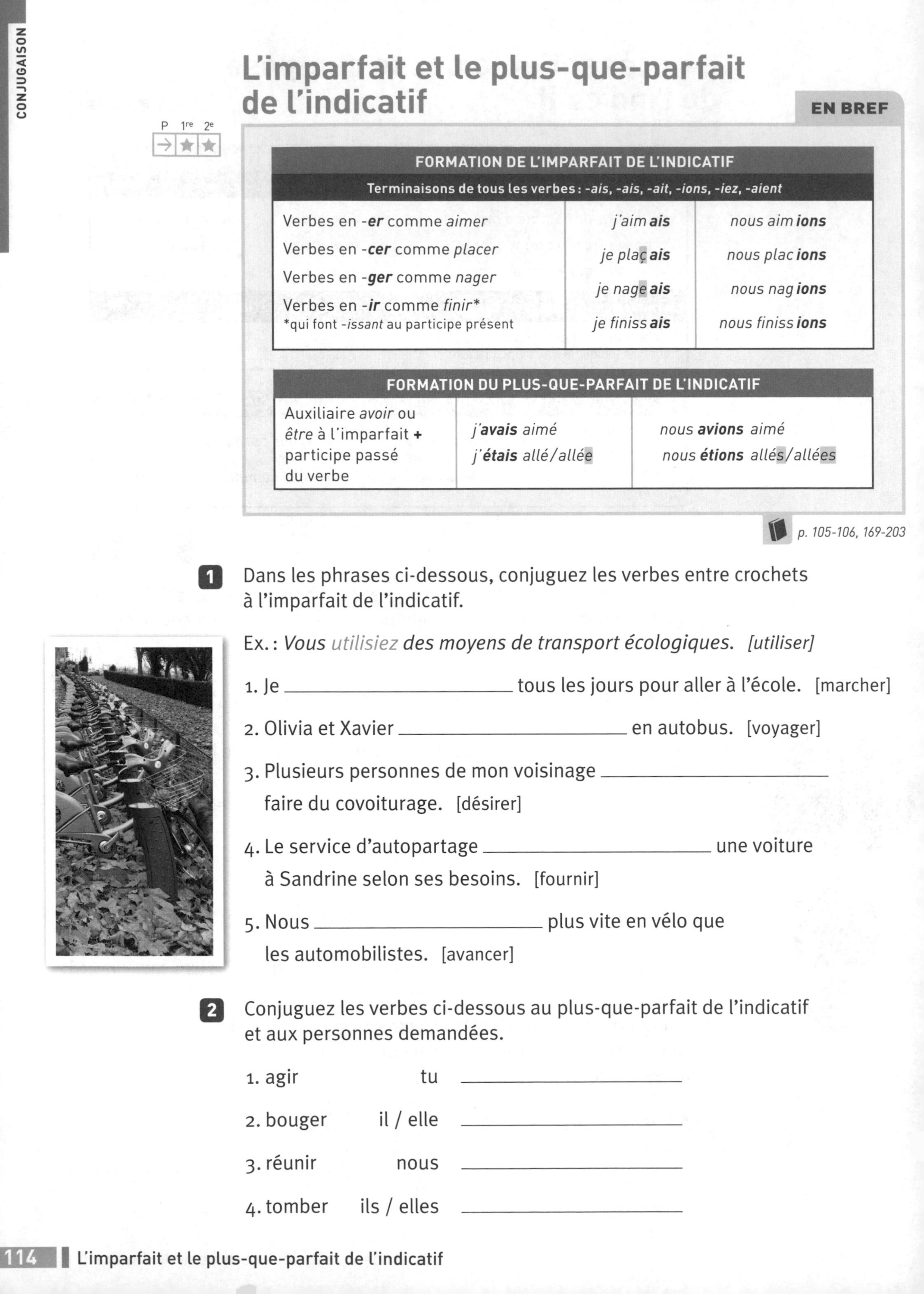

Nom : ______________________ Groupe : __________ Date : __________

CONJUGAISON

L'imparfait et le plus-que-parfait de l'indicatif

P 1re 2e
→ ★ ★

EN BREF

FORMATION DE L'IMPARFAIT DE L'INDICATIF		
Terminaisons de tous les verbes : *-ais, -ais, -ait, -ions, -iez, -aient*		
Verbes en -***er*** comme *aimer*	*j'aim* ***ais***	*nous aim* ***ions***
Verbes en -***cer*** comme *placer*	*je plaç* ***ais***	*nous plac* ***ions***
Verbes en -***ger*** comme *nager*	*je nage* ***ais***	*nous nag* ***ions***
Verbes en -***ir*** comme *finir** *qui font *-issant* au participe présent	*je finiss* ***ais***	*nous finiss* ***ions***

FORMATION DU PLUS-QUE-PARFAIT DE L'INDICATIF		
Auxiliaire *avoir* ou *être* à l'imparfait **+** participe passé du verbe	*j'****avais*** *aimé* *j'****étais*** *allé/allée*	*nous* ***avions*** *aimé* *nous* ***étions*** *allés/allées*

p. 105-106, 169-203

1 Dans les phrases ci-dessous, conjuguez les verbes entre crochets à l'imparfait de l'indicatif.

Ex. : *Vous utilisiez des moyens de transport écologiques.* [utiliser]

1. Je ______________________ tous les jours pour aller à l'école. [marcher]
2. Olivia et Xavier ______________________ en autobus. [voyager]
3. Plusieurs personnes de mon voisinage ______________________ faire du covoiturage. [désirer]
4. Le service d'autopartage ______________________ une voiture à Sandrine selon ses besoins. [fournir]
5. Nous ______________________ plus vite en vélo que les automobilistes. [avancer]

2 Conjuguez les verbes ci-dessous au plus-que-parfait de l'indicatif et aux personnes demandées.

1. agir tu ______________________
2. bouger il / elle ______________________
3. réunir nous ______________________
4. tomber ils / elles ______________________

Nom : ______________________ Groupe : __________ Date : __________

Le futur simple et le futur antérieur de l'indicatif

P 1re 2e

→ ★ ★

EN BREF

FORMATION DU FUTUR SIMPLE DE L'INDICATIF		
Terminaisons des verbes en *-er* : *-erai, -eras, -era, -erons, -erez, -eront*		
Verbes en ***-er***	*j'aim**erai***	*nous aim**erons***
Terminaisons des autres verbes : *-rai, -ras, -ra, -rons, -rez, -ront*		
Verbes en ***-ir*** comme *finir* * *qui font *-issant* au participe présent	*je fini**rai***	*nous fini**rons***

FORMATION DU FUTUR ANTÉRIEUR DE L'INDICATIF		
Auxiliaire *avoir* ou *être* au futur **+** participe passé du verbe	*j'**aurai** aimé* *je **serai** allé / allée*	*nous **aurons** aimé* *nous **serons** allés / allées*

p. 105-106, 169-203

a) Dans les phrases ci-dessous, conjuguez les verbes entre crochets au futur simple de l'indicatif.

b) Chacun de ces verbes conjugués contient son infinitif. Soulignez la partie du verbe qui correspond à l'infinitif.

Ex. : *Chloé et Charles bâtiront une maison verte sur leur terrain.* [bâtir]

1. Les membres de la famille ______________ leurs besoins pour bien aménager l'espace. [définir]
2. Nous ______________ chez des amis pendant la construction. [rester]
3. Vous ______________ des panneaux solaires. [installer]
4. Mes parents ______________ des outils pour gagner du temps. [louer]
5. Manuel ______________ une pancarte de bienvenue au-dessus de la porte. [clouer]

c) Conjuguez les verbes en a) au futur antérieur de l'indicatif. Utilisez les mêmes pronoms sujets ou remplacez les GN sujets par les pronoms appropriés.

Ex. : *Ils auront bâti* ______________ ______________

______________ ______________

______________ ______________

Nom : ______ Groupe : ______ Date : ______

Le conditionnel présent et le conditionnel passé de l'indicatif

P 1re 2e
→ ★ ★

EN BREF

FORMATION DU CONDITIONNEL PRÉSENT DE L'INDICATIF		
Terminaisons des verbes en *-er* : *-erais, -erais, -erait, -erions, -eriez, -eraient*		
Verbes en -**er**	*j'aim* ***erais***	*nous aim* ***erions***
Terminaisons des autres verbes : *-rais, -rais, -rait, -rions, -riez, -raient*		
Verbes en -**ir** comme *finir** *qui font *-issant* au participe présent	*je fini* ***rais***	*nous fini* ***rions***

FORMATION DU CONDITIONNEL PASSÉ DE L'INDICATIF		
Auxiliaire *avoir* ou *être* au conditionnel **+** participe passé du verbe	*j'**aurais** aimé* *je **serais** allé/allée*	*nous **aurions** aimé* *nous **serions** allés/allées*

p. 105-106, 169-203

a) Conjuguez les verbes ci-dessous au conditionnel présent de l'indicatif et aux personnes demandées.

b) Chacun de ces verbes conjugués contient son infinitif. Soulignez la partie du verbe qui correspond à l'infinitif.

c) Conjuguez ces verbes au conditionnel passé de l'indicatif et aux mêmes personnes.

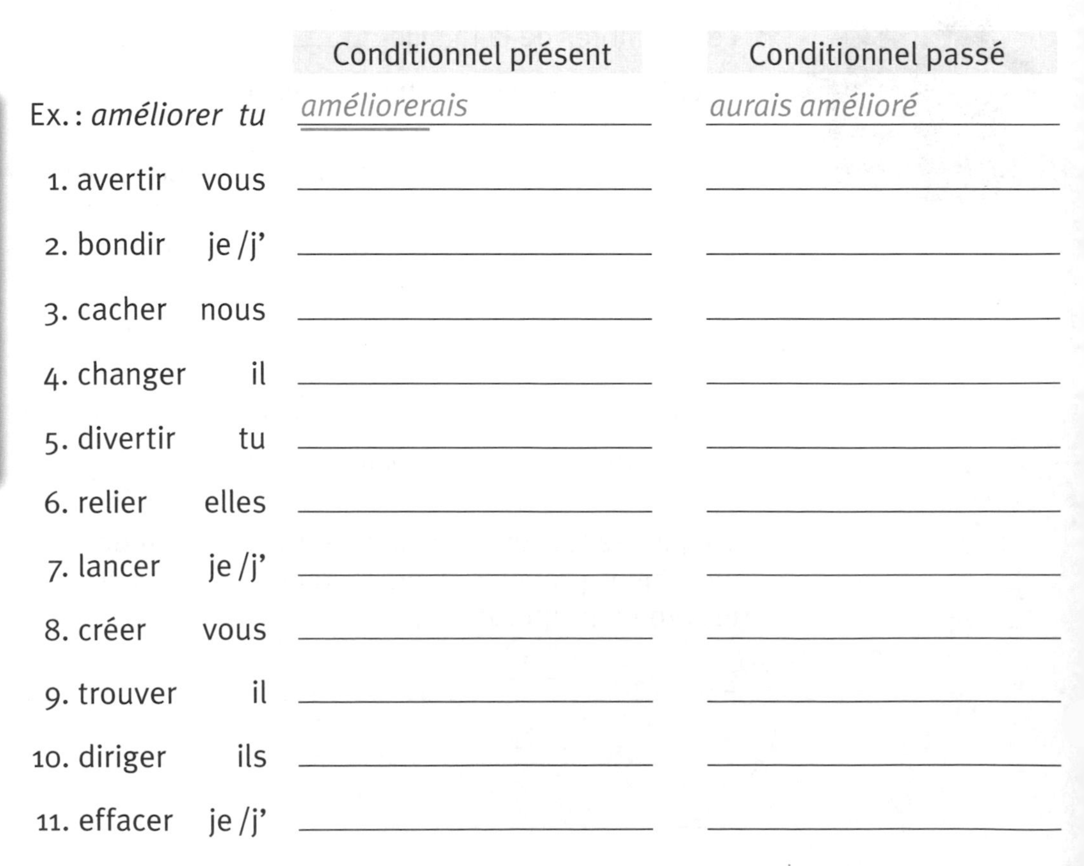

		Conditionnel présent	Conditionnel passé
Ex. : *améliorer*	*tu*	*améliorerais*	*aurais amélioré*
1. avertir	vous	______	______
2. bondir	je /j'	______	______
3. cacher	nous	______	______
4. changer	il	______	______
5. divertir	tu	______	______
6. relier	elles	______	______
7. lancer	je /j'	______	______
8. créer	vous	______	______
9. trouver	il	______	______
10. diriger	ils	______	______
11. effacer	je /j'	______	______

Nom : ______________________ Groupe : __________ Date : ______________

Le passé simple de l'indicatif

EN BREF

P 1re 2e
→ → ★

FORMATION DU PASSÉ SIMPLE DE L'INDICATIF		
Terminaisons de la 3e personne des verbes en *-er* : *-a, -èrent*		
Verbes en -**er** comme *aimer*	*il / elle aim **a***	*ils / elles aim **èrent***
Verbes en -**cer** comme *placer*	*il / elle plaç **a***	*ils / elles plac **èrent***
Verbes en -**ger** comme *nager*	*il / elle nage **a***	*ils / elles nag **èrent***
Terminaisons de la 3e personne des verbes réguliers en *-ir* : *-it, -irent*		
Verbes en -**ir** comme *finir* * *qui font *-issant* au participe présent	*il / elle fin **it***	*ils / elles fin **irent***
Terminaisons de la 3e personne des verbes irréguliers : *-it, -irent* ou *ut, -urent*		
Partir *Pouvoir*	*il / elle part **it*** *il / elle p **ut***	*ils / elles part **irent*** *ZZils / elles p **urent***

p. 105-106, 169-203

Dans le texte ci-dessous, soulignez les verbes au présent de l'indicatif et conjuguez-les au passé simple de l'indicatif.

Renouveler sa garde-robe

Sans hésitations, Élodie accepte (*accepta*) mon défi de renouveler ma garde-robe avec seulement quelques dollars.

Étape 1 : Faire un tri

Élodie inspecte mes vêtements un à un. Elle me demande de regrouper tous mes vêtements trop petits. Elle me désigne des morceaux tout-aller à conserver. Elle place tous les autres dans un sac, puis les emporte à son atelier.

Étape 2 : Apporter une touche originale

Elle raccourcit mes pantalons aux mollets. Elle rafraîchit une jupe en dessinant des fleurs dessus. Elle colle des boutons colorés sur mon sac à main démodé. Elle brode des perles décoratives sur ma veste de jeans. Me voilà avec des vêtements dernier cri !

Étape 3 : Fouiller les friperies

Elle m'emmène ensuite dans quelques friperies du coin et elle me déniche des vêtements de nouveau très tendance. Ainsi, Élodie rajeunit ma garde-robe en seulement quelques heures.

Ariane COUTURE, *Naturophile*, vol. 1, n° 2, novembre 2011, p. 29. (Source fictive.)

Nom : ______ Groupe : ______ Date : ______

Le participe présent

P 1re 2e

EN BREF

FORMATION DU PARTICIPE PRÉSENT	
Terminaison de tous les verbes : *-ant*	
Verbes en -***er*** comme *aimer*	*aim* ***ant***
Verbes en -***cer*** comme *placer*	*plaç* ***ant***
Verbes en -***ger*** comme *nager*	*nage* ***ant***
Verbes en -***ir*** comme *finir** *qui font *-issant* au participe présent	*finiss* ***ant***

p. 105-106, 169-203

Écrivez le participe présent des verbes entre crochets dans le texte ci-dessous.

Petites actions, grandes intentions

Dans le cadre du projet *Changer mon école un geste à la fois*, l'école Terre vivante posera des gestes concrets tout au long de l'année.

Septembre. En *proposant* [proposer] l'achat de fournitures scolaires écologiques.

Octobre. En ______ [planter] plusieurs arbres dans la cour de l'école.

Novembre. En ______ [s'efforcer] de diminuer sa consommation de papier.

Décembre. En ______ [recycler] des jouets pour les enfants démunis.

Janvier. En ______ [présenter] un film sur l'environnement.

Février. En ______ [monter] une exposition d'œuvres d'art faites de matières recyclées.

Mars. En ______ [manger] plus écolo.

Avril. En ______ [ramasser] les déchets dans la cour.

Mai. En ______ [investir] dans l'installation d'autres supports à vélo.

Juin. En ______ [organiser] une vente de livres usagés.

Pascal LAVERDURE, *Naturophile*, vol. 1, nº 2, novembre 2011, p. 30. (Source fictive.)

Nom : ______ Groupe : ______ Date : ______

CONJUGAISON

Le présent de l'impératif

EN BREF

P 1re 2e

FORMATION DU PRÉSENT DE L'IMPÉRATIF		
Terminaisons des verbes en *-er* : *-e*, *-ons*, *-ez*		
Verbes en -**er** comme *aimer*	*aim* **e**	*aim* **ons**
Verbes en -**cer** comme *placer*	*plac* **e**	*plaç* **ons**
Verbes en -**ger** comme *nager*	*nag* **e**	*nage* **ons**
Terminaisons des autres verbes : *-s*, *-ons*, *-ez*		
Verbes en -**ir** comme *finir* * *qui font *-issant* au participe présent	*fini* **s**	*finiss* **ons**

p. 105-106, 169-203

Récrivez les phrases ci-dessous en mettant les verbes conjugués au présent de l'impératif.

Ex. : *Tu baisses le chauffage de la maison avant de partir.*

Baisse le chauffage de la maison avant de partir.

1. Tu n'utilises pas de lingettes jetables.

______

2. Nous rechargeons les piles afin de les réutiliser.

______

3. Tu remplaces ces ampoules énergivores.

______

4. Vous débranchez votre chargeur après utilisation.

______

5. Nous choisissons des savons biodégradables.

______

6. Nous récupérons les produits dangereux.

______

7. Au lieu de jeter un objet utile, tu le donnes.

______

8. Vous adoptez de bonnes habitudes.

______

Nom : ______ Groupe : ______ Date : ______

Le présent du subjonctif

P 1re 2e ★★★

EN BREF

FORMATION DU PRÉSENT DU SUBJONCTIF		
Terminaisons de tous les verbes : *-e, -es, -e, -ions, -iez, -ent*		
Verbes en -***er***	*que j'aim* ***e***	*que nous aim* ***ions***
Verbes en -***ir*** comme *finir** *qui font *-issant* au participe présent	*que je finiss* ***e***	*que nous finiss* ***ions***

p. 105-106, 169-203

1 Formez le présent du subjonctif des verbes ci-dessous. Pour cela :

- conjuguez les verbes au présent de l'indicatif et soulignez les radicaux ;
- transcrivez ces radicaux dans la 3e colonne et ajoutez les bonnes terminaisons.

VERBES À L'INFINITIF	VERBES AU PRÉSENT DE L'INDICATIF	VERBES AU PRÉSENT DU SUBJONCTIF
bricoler	Ex. : ils *bricolent*	Ex. : que nous *bricolions*
jouer	ils ______	que je ______
économiser	ils ______	que vous ______
effacer	ils ______	qu'ils ______
préparer	ils ______	que je ______
rétablir	ils ______	qu'elle ______
réussir	ils ______	que tu ______

2 a) Complétez les phrases ci-dessous en conjuguant les verbes entre crochets au présent du subjonctif.

b) Soulignez les subordonnées compléments de phrase utilisées pour exprimer le temps.

Ex. : *J'éteins le moteur en attendant que mes passagers arrivent*. [arriver]

1. Vous balayez l'entrée de la cour jusqu'à ce que vous la ______ impeccable. [juger]

2. Ils conservent leurs restes de peinture jusqu'à ce que la ville ______ la cueillette des produits dangereux. [effectuer]

3. Nous isolons les fenêtres avant que l'automne ______ . [finir]

Nom : ______________________ Groupe : __________ Date : __________

Les verbes en *-er* comme *crier*, *créer*, *jouer* et *saluer*

P 1re 2e

EN BREF

Les verbes en *-er* dont le radical se termine par une voyelle, comme les verbes *crier*, *créer*, *jouer* et *saluer*, se conjuguent selon le modèle du verbe *aimer*. On ne doit pas oublier le *e* muet ni le *i* à certains temps et à certaines personnes dans leur conjugaison.

PARTICULARITÉS DES VERBES EN *-er*		
Présent de l'indicatif	*je cri***e**	*nous cri***ons**
Futur simple de l'indicatif	*je cri***erai**	*nous cri***erons**
Conditionnel présent de l'indicatif	*je cri***erais**	*nous cri***erions**
Présent de l'impératif	*cri***e**	
Présent du subjonctif	*que je cri***e**	*que nous cri***ions**
Imparfait de l'indicatif	*je cri***ais**	*nous cri***ions**

p. 105-106, 176

a) Conjuguez correctement les verbes ci-dessous aux temps demandés.

b) Surlignez les voyelles *e* et *i* placées au début des terminaisons.

Ex. : *Clouer, imparfait de l'indicatif* — *nous* clouions

1. Continuer, futur simple de l'indicatif — je ______
2. Contribuer, présent de l'indicatif — tu ______
3. Créer, présent de l'indicatif — je ______
4. Crier, présent de l'impératif — 2e pers. s. ______
5. Déjouer, imparfait de l'indicatif — nous ______
6. Dépolluer, présent du subjonctif — que tu ______
7. Diluer, conditionnel présent de l'indicatif — il ______
8. Diminuer, futur simple de l'indicatif — vous ______
9. Effectuer, présent du subjonctif — qu'il ______
10. Étudier, imparfait de l'indicatif — nous ______
11. Évaluer, présent de l'indicatif — ils / elles ______
12. Louer, imparfait de l'indicatif — nous ______
13. Oublier, conditionnel présent de l'indicatif — ils / elles ______
14. Plier, conditionnel présent de l'indicatif — vous ______
15. Remuer, présent de l'impératif — 2e pers. s. ______
16. Saluer, présent de l'indicatif — je ______

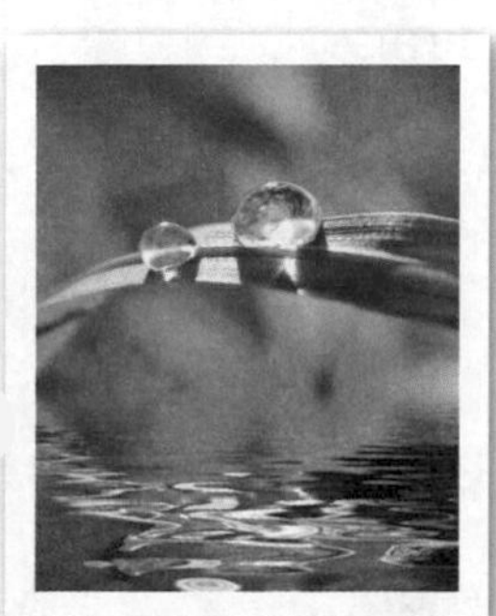

Nom : ______________________ Groupe : __________ Date : __________

P 1re 2e

Des verbes irréguliers : *aller, devoir, dire, faire, partir, pouvoir, prendre, savoir, vouloir* et *voir*

EN BREF

Les verbes en *-ir* qui ne se conjuguent pas comme le verbe *finir* (*-issant*), les verbes en *-oir* et en *-re* ainsi que le verbe *aller* sont des verbes irréguliers. Ils ont plus de deux radicaux et leurs terminaisons ne sont pas toujours les mêmes que celles des verbes réguliers.

p. 105-106, 178, 186-187, 189, 196-197, 199, 203

1 Complétez le tableau ci-dessous en donnant le mode et le temps de chacun des verbes.

La conjugaison des verbes irréguliers n'est pas totalement différente de celle des verbes réguliers. Par exemple, les terminaisons présentent des ressemblances. Observer les particularités d'un verbe aide à les mémoriser.

VERBES	MODES	TEMPS
Ex. : *nous devrons*	*indicatif*	*futur simple*
je dis		
tu faisais		
vous partiriez		
prenez		
sachant		
il / elle alla		
qu'ils / qu'elles veuillent		
nous avons vu		
je pouvais		
tu sauras		

2 Ajoutez les pronoms de conjugaison devant les verbes ci-dessous.
! Il y a parfois plus d'un pronom possible.

Ex. : *j' irai*

1. ______________ verront
2. ______________ dirais
3. ______________ as su
4. ______________ voulons
5. ______________ prends
6. ______________ allez
7. ______________ partirons
8. ______________ peux
9. ______________ faites
10. ______________ veut

Nom : ____________________ Groupe : __________ Date : __________

3 Conjuguez les verbes ci-dessous aux temps simples et aux modes demandés. Consultez des tableaux de conjugaison au besoin.

1. **Aller,** présent de l'indicatif	je	____________
2. **Devoir,** imparfait de l'indicatif	il / elle	____________
3. **Vouloir,** conditionnel présent de l'indicatif	ils / elles	____________
4. **Faire,** conditionnel présent de l'indicatif	tu	____________
5. **Faire,** imparfait de l'indicatif	vous	____________
6. **Pouvoir,** passé simple de l'indicatif	ils / elles	____________
7. **Dire,** futur simple de l'indicatif	je	____________
8. **Aller,** présent de l'impératif	(1re pers. pl.)	____________
9. **Vouloir,** imparfait de l'indicatif	vous	____________
10. **Partir,** participe présent		____________
11. **Prendre,** passé simple de l'indicatif	il / elle	____________
12. **Voir,** futur simple de l'indicatif	je	____________
13. **Savoir,** présent du subjonctif	que tu	____________
14. **Dire,** présent de l'indicatif	il / elle	____________

4 Conjuguez les verbes ci-dessous aux temps composés demandés. Consultez des tableaux de conjugaison au besoin.

1. **Devoir,** plus-que-parfait de l'indicatif	il / elle	____________
2. **Pouvoir,** passé composé de l'indicatif	j'	____________
3. **Faire,** futur antérieur de l'indicatif	nous	____________
4. **Aller,** conditionnel passé de l'indicatif	tu	____________
5. **Pouvoir,** conditionnel passé de l'indicatif	vous	____________
6. **Devoir,** passé composé de l'indicatif	elles	____________

Nom : ______________________ Groupe : __________ Date : __________

CONJUGAISON

5 a) Soulignez les verbes conjugués dans les phrases ci-dessous.

b) Écrivez ces verbes à l'infinitif.

Ex. : *Naomie savait donner une seconde vie aux choses.* (savoir)

1. Elle voyait les différentes utilités d'un même objet.
2. Sans plus attendre, elle partit à la chasse aux objets.
3. Ils disent faire souvent de belles découvertes.
4. Je vais dans une quincaillerie pour rapporter mes piles jetables usées.
5. Pour faire du rangement, vous auriez pu recycler des boîtes vides.
6. Je saurai comment transformer ce vieux jeans en sac à dos.
7. J'ai fait un bricolage avec des matériaux recyclés.
8. Pour fabriquer des tapis, ils prennent des pneus usés.

*9. Nous n'aurions pas dû jeter inutilement ces objets.

6 Dans le texte ci-dessous, conjuguez correctement les verbes entre crochets au présent de l'indicatif.

La ferraille au service de l'art

Pour créer ses étonnantes sculptures, Alex __________ [prendre] des morceaux de métal de toutes sortes. Il __________ [aller] au dépôt de ferraille et il en __________ [faire] le tour. Il __________ [pouvoir] ramasser tout ce qu'il __________ [vouloir]. En échange, il __________ [devoir] donner un peu de son temps pour aider le propriétaire. Chacun __________ [dire] réaliser une bonne affaire. Alex __________ [savoir] la chance qu'il a. Grâce à cette entente, il __________ [voir] ses projets se réaliser.

7 Dans les phrases ci-dessous, conjuguez correctement les verbes entre crochets aux temps simples de l'indicatif demandés. Consultez des tableaux de conjugaison au besoin.

Ex. : *Les gens voient la nécessité de préserver les matières premières. [voir, présent]*

1. Liliane et Étienne ____________ vous proposer des façons de réutiliser de vieux objets. [aller, présent]
2. Nous ____________ réduire notre quantité de déchets non recyclables. [devoir, conditionnel présent]
3. Vous me ____________ avoir une grande imagination. [dire, présent]
4. Pour planter tes semis, tu ____________ utiliser des boîtes d'œufs. [pouvoir, conditionnel présent]
5. Elle ____________ créer de beaux bijoux avec des capsules de bouteille. [savoir, imparfait]
6. Maïka et Carlos ____________ des cartes de vœux avec des retailles de papier cadeau. [faire, futur simple]
7. Pour conserver mes marmelades, je ____________ des pots en verre. [prendre, futur simple]
8. Ils ____________ la tête pleine d'idées. [partir, passé simple]

8 Dans les phrases ci-dessous, conjuguez correctement les verbes entre crochets aux temps composés de l'indicatif demandés. Consultez des tableaux de conjugaison au besoin.

Ex. : *Les artistes ont su vous charmer avec leurs meubles originaux. [savoir, passé composé]*

1. Nous leur ________________ de laisser libre cours à leur imagination. [dire, passé composé]
2. Ils ________________ une vieille baignoire pour fabriquer ce meuble de jardin. [prendre, passé composé]
3. Pour créer cette magnifique œuvre d'art, Vincent ________________ de rien. [partir, plus-que-parfait]
4. Je me demande ce qu'il ________________ avec le tambour de la laveuse. [faire, conditionnel passé]
5. Vous ________________ leur demander conseil. [devoir, conditionnel passé]
6. Antoine et Sophia ________________ transformer les planches à neige en bancs. [pouvoir, conditionnel passé]
7. ✲ Joanie ________________ visiter leur atelier la semaine dernière. [aller, plus-que-parfait]

Nom : ______________________ Groupe : __________ Date : __________

CONJUGAISON

P 1re 2e

→ → ★

Le son *é* à la fin d'un verbe

EN BREF

FINALES DES VERBES	EXEMPLES ET REMPLACEMENTS
-ai	Tu laveras *Je laverai les contenants réutilisables.*
-ez	Nous mangeons *Vous mangez des produits locaux.* Achetons *Achetez vos légumes des fermiers d'ici.*
-é,-ée, *-és, -ées*	finis *Ils cultivent des légumes variés.* fini *Eva a acheté de beaux légumes.* finie *Eva est allée au marché.*
-er	finir *Nous allons utiliser une gourde.*

p. 114, 116

1 a) Complétez les phrases ci-dessous en écrivant correctement les verbes entre crochets. Les verbes doivent se terminer par les finales *-ai*, *-ez*, *-é* ou *-er*.

b) Écrivez un remplacement au-dessus de ces verbes pour vérifier leur orthographe.

Plaçons
Ex. : *Placez [placer] un couvert sur la casserole pour faire bouillir de l'eau.*

1. Je ______________________ [cuisiner] des plats maison la semaine prochaine pour bien ______________________ [manger].

2. ______________________ [consommer] l'eau du robinet au lieu d' ______________________ [acheter] de l'eau en bouteille.

3. Vous ______________________ [éviter] de ______________________ [placer] dans votre panier d'épicerie tout aliment ______________________ [suremballer].

4. Pour ______________________ [aider] les producteurs locaux, il est important de ______________________ [privilégier] l'achat de légumes de saison.

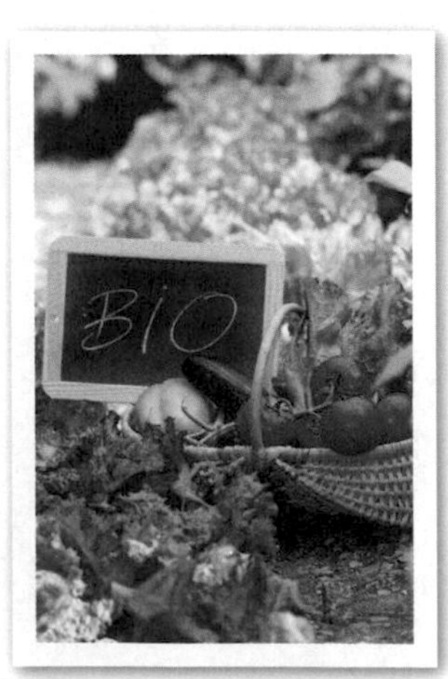

Nom : ______________________ Groupe : __________ Date : __________

2 a) Écrivez au-dessus des verbes à compléter les remplacements *fini* ou *finir* ou l'un des remplacements proposés dans la marge pour déterminer leur orthographe.

b) Complétez les verbes par les finales *-é* ou *-er*. S'il s'agit de participes passés employés seuls ou avec *être*, faites les accords nécessaires. Accordez aussi les verbes de remplacement. ⚠ Les participes passés employés avec *avoir* dans ces phrases ne s'accordent pas.

Ex. : *Rosalie est allée (finie) au marché ce matin.*

Quels autres verbes peuvent être utilisés pour déterminer la finale des verbes en *-er* ? Le remplacement peut aussi se faire avec *bâti* ou *bâtir*, *entendu* ou *entendre*, *mordu* ou *mordre* et *voulu* ou *vouloir*.

1. Elle aime discut_____ avec les marchands et échang_____ des recettes.
2. Ses emplettes terminé_____, elle rentre à la maison pour planifi_____ les repas de la semaine.
3. Pour concoct_____ une soupe, elle a ajout_____ des légumes coup_____ en cubes à un bouillon dégraiss_____.
4. Elle a cuisin_____ une tarte aux pommes bien dor_____ pour dessert.
5. Un parfum de cannelle, mêl_____ aux effluves de pommes chaudes, a flott_____ dans la maison toute la journée.
6. Comme elle est très occup_____, Rosalie en profite pour cuisin_____ durant la fin de semaine.
7. Préoccup_____ par sa santé, elle choisit toujours des menus équilibr_____ pour bien s'aliment_____.
8. ✲ Son repas préfér_____ est compos_____ de filets de poulet marin_____ et d'une salade de mangues arros_____ d'une vinaigrette aux framboises.
9. Plusieurs invités sont étonn_____ de découvrir les talents cach_____ de leur hôtesse.
10. Selon Rosalie, pour bien s'aliment_____, il suffit de s'organis_____ et de s'inform_____.

Nom : ____________ Groupe : ____________ Date : ____________

3 a) Complétez les phrases ci-dessous en écrivant correctement les verbes entre crochets. ! Les participes passés employés avec *avoir* dans ces phrases ne s'accordent pas.

b) Dans chaque phrase, encerclez le ou les éléments qui vous indiquent comment écrire chacun de ces verbes. Il peut s'agir :

- d'un pronom ;
- des verbes *être* ou *avoir* ;
- d'un nom.
- d'un verbe à l'infinitif ;
- d'une préposition ;

Ex. : *Je cultiverai un jardin derrière la maison l'été prochain.* *[cultiver]*

1. Vous ____________ [aller] ____________ [semer] des variétés de légumes différentes de celles de l'année dernière.

2. Pour ____________ [économiser] l'eau potable, on vous a ____________ [conseiller] d'____________ [arroser] votre jardin avec l'eau de pluie ____________ [récupérer] dans un baril.

3. Le paillis permet de ____________ [conserver] la terre humide plus longtemps.

4. Comme paillis, j'utilise des brins d'herbe ____________ [hacher] et ____________ [sécher].

5. On doit ____________ [éviter] de ____________ [vaporiser] des insecticides en aérosol.

6. Vous ____________ [préparer] déjà vos plants de ciboulette et de basilic qui serviront à ____________ [éloigner] les insectes.

7. Ils ont ____________ [utiliser] des déchets végétaux pour faire du compost.

8. Demain, j' ____________ [arracher] les herbes nuisibles.

9. Justine et Manuela sont ____________ [arriver] à faire ____________ [pousser] des légumes peu communs.

10. Nous avons ____________ [récolter] de belles grosses patates.

11. Quelques concombres sont ____________ [rester] tout petits.

✲ 12. Dès demain, nous irons ____________ [chercher] des petits fruits chez notre voisin.

Pour faire le point

La conjugaison

p. 105-114

1 Lisez le texte ci-dessous, puis répondez aux questions qui suivent.

Stop ! Arrêtez l'émission de CO_2

La diminution de l'émission de CO_2 aura un impact positif sur l'avenir de la planète.

Le réchauffement climatique, c'est l'augmentation de la température à l'échelle de la planète. L'environnement en subit les conséquences : les glaces polaires fondent, les déserts s'agrandissent, le niveau de la mer augmente, etc.

5 Parce qu'ils étaient conscients du problème, plusieurs pays ont signé un accord, le protocole de Kyoto, qui les engage à diminuer leurs émissions de gaz nocifs, responsables du réchauffement climatique.

ERREURS ! Afin de contrôler l'émission de l'un de ces gaz nocifs, le CO_2, on a créer des Bourses du carbone. Leur fonctionnement est simple. Les entreprises doivent respecter des 10 quotas, c'est-à-dire des limites d'émission de CO_2. Si elles en sont incapables, elles doivent acheter aux entreprises peu polluantes leurs quotas, ou leurs « droits de polluer ». On souhaite amené les entreprises à trouvé des solutions pour être plus propres. On exerce ainsi un certain contrôle sur la quantité de CO_2 dans l'air.

Un peu partout dans le monde, on a instauré ces bourses. Bien sûr, si toutes 15 les entreprises devenaient écoresponsables, ces systèmes de contrôle ne seraient pas nécessaires…

Charles LEVERT, *Naturophile*, vol. 1, n° 3, décembre 2011, p. 21. (Source fictive)

 Dans le 3e paragraphe du texte, surlignez chacun des verbes dont la finale se termine par le son *é*. Corrigez l'orthographe du verbe au besoin.

Nom : ______ Groupe : ______ Date : ______

3 a) Soulignez les 20 verbes conjugués dans le texte, incluant ceux du titre et de la légende.

b) Nommez le temps de verbe le plus utilisé dans le texte.

______

4 a) Complétez le tableau ci-dessous en relevant dans le texte, incluant la légende, les verbes conjugués aux temps indiqués.

VERBES CONJUGUÉS À L'INDICATIF DANS LE TEXTE		
TEMPS	**VERBES**	**PERSONNE ET NOMBRE**
Imparfait		
Futur simple		
Conditionnel présent		

b) Placez entre crochets le seul verbe conjugué à un autre mode que l'indicatif dans le texte.

5 a) Relevez trois verbes conjugués à des temps composés.

______

b) Donnez l'infinitif de l'auxiliaire utilisé pour conjuguer ces verbes.

______

TEXTE *EXPRESS*

Les entreprises devraient faire des efforts pour être plus écoresponsables, mais vous aussi. En fait, tout le monde devrait en faire !

■ ■ ■

Rédigez un texte d'environ 75 mots décrivant les gestes que vous vous engagez à faire pour préserver l'environnement.

Commencez votre texte par la formulation suivante : **Moi, [votre nom], je m'engage à protéger l'environnement. À compter d'aujourd'hui, je...**

Datez votre texte.

■ ■ ■

1 Utilisez principalement l'indicatif présent et le pronom sujet *je* dans votre texte.

2 Soulignez les verbes conjugués, puis reliez chacun d'eux au sujet de la phrase à l'aide d'une flèche. **!** La flèche doit partir du sujet.

3 Surlignez tous les verbes dont la finale se termine par le son *é*. Vérifiez l'orthographe de ces verbes.

Relisez votre texte dans quelques semaines afin de vérifier si vous avez respecté vos engagements.

9

Comment accorder les participes passés ?

Le participe passé

P 1re 2e

EN BREF

- Le participe passé provient d'un verbe. Il peut être employé seul, avec un auxiliaire (*avoir* ou *être*) ou avec un verbe attributif (*paraître*, *sembler*, etc.).

Ex. : *C'est une planète* **peuplée** (p.p. adjectif) *de mutants. Cette planète* **semble** (V attributif) *très* **éloignée** (p.p. adjectif).

Ils **ont** (aux.) **atterri** (p. p.) *facilement. Ils* **sont** (aux.) **arrivés** (p. p.) *après deux jours de voyage.*

- Pour former les temps composés des verbes, on utilise le participe passé avec un auxiliaire (*avoir* ou *être*).

Ex. : *il [a observé], elle [avait décollé], ils [seront partis], elles [auraient fabriqué]*

p. 115

1 Certains des mots ci-dessous sont des participes passés. Soulignez-les et écrivez au-dessus les verbes correspondants à l'infinitif.

charger chargé	éloigner éloigné	menacer menacé
transfert	efficaciter efficacité	ouvrir ouvert
venir venu	inconnu	vouloir voulu

2 Écrivez les participes passés des verbes à l'infinitif. Donnez la forme au masculin singulier et au féminin singulier, s'il y a lieu.

Comment déterminer la lettre finale du participe passé au masculin des verbes en *-ir*, *-re* et *-oir* ? On met le participe passé au féminin. Ex. : *un cratère éteint / une étoile éteinte.*

Ex. : ***avoir :***	*eu, eue*	aller :	allé
être :	été	prendre :	prend pris
aimer :	aimé	dire :	dit
finir :	fini	voir :	vu
devoir :	du	vouloir :	voulu
faire :	fu fait	voir :	vu
partir :	parti	savoir :	su

Nom : ______________________ Groupe : __________ Date : __________

Le participe passé employé seul

P 1re 2e

EN BREF

- S'il est employé sans auxiliaire, le participe passé est comme un adjectif qui complète un nom.
- Le participe passé employé seul s'accorde en genre et en nombre avec le nom avec lequel il est en relation.

Ex. : *Les astronautes chargés d'une mission s'envolent vers la Lune.* (m. pl. / m. pl.)

Placée en orbite autour de la Terre, la station spatiale est un laboratoire de recherche. (f. s. / f. s.)

Le participe passé employé seul est utilisé comme un adjectif pour compléter un nom.

p. 115-116

1 a) Utilisez les verbes entre crochets pour compléter le texte ci-dessous avec des participes passés employés seuls comme adjectifs.

Des étoiles montantes

Confortablement ______________ [installer], mais solidement ______________ [attacher], les astronautes attendent le lancement de la fusée. Une fois le compte à rebours ______________ [commencer], il leur est impossible de changer d'idée.

Dans la salle de contrôle bien ______________ [remplir], les techniciens regardent l'astronef s'éloigner vers l'infini. Leur tête et leur corps ______________ [secouer] de tous côtés, les astronautes ont du mal à se concentrer. Les moments les plus difficiles ______________ [passer], ils voient la Terre diminuer à travers un hublot carré.

Une fois la mission ______________ [accomplir], les astronautes rentreront fiers d'une autre sortie encore une fois ______________ [réussir].

b) Surlignez dans le texte tous les verbes employés à l'infinitif, puis écrivez ci-dessous le participe passé de ces verbes au masculin singulier.

____

2 a) Dans le texte ci-dessous, surlignez les adjectifs et écrivez au-dessus leur genre et leur nombre.

L'entraînement rigoureux des astronautes

Avant de partir en mission, les astronautes reçoivent un entraînement intensif. Ils suivent un programme très complet. Ce programme tient compte des expériences diverses qu'ils vivront au cours de leur mission.

Comme l'eau procure des sensations semblables à celles de l'apesanteur, les astronautes s'entraînent dans une piscine. Ils y simulent des tâches complexes qu'ils devront réaliser dans l'espace.

Confiants de réussir leur mission, les astronautes attendent impatiemment le jour du lancement.

Guillaume ARMSTRONG, *Bételgeuse*, vol. 1, nº 1, janvier 2012, p. 26. (Source fictive.)

b) Récrivez le texte en remplaçant les adjectifs soulignés par les participes passés des verbes donnés.

- varier
- élaborer
- apparenter
- pousser
- compliquer
- assurer

______

______

______

______

______

______

______

______

______

Nom : ______________________ Groupe : __________ Date : __________

Le participe passé employé avec *être* ou avec un verbe attributif

P 1re 2e ★ ★

Le participe passé employé avec le verbe *être* ou avec un verbe attributif est utilisé pour donner une caractéristique à un nom ou à un pronom.

EN BREF

Le participe passé employé avec *être* ou avec un verbe attributif (*paraître, sembler, rester*, etc.) s'accorde en genre et en nombre avec le noyau du GN sujet ou le pronom sujet de la phrase.

Ex. : *Ils sont sortis dans l'espace.* (m. pl. — m. pl.) *La lune reste cachée derrière les nuages.* (f. s. — f. s.)

p. 116

1 a) Complétez les phrases ci-dessous en écrivant correctement les participes passés des verbes entre crochets.

Ex. : *L'observatoire d'astronomie est* ouvert *au public deux jours par semaine.* [ouvrir]

1. Charline et Jonathan sont __________ sur le piédestal pour regarder dans le télescope. [grimper]
2. « Toutes les étoiles sont très __________ de la Terre », leur explique le professeur d'astronomie, M. Mercure. [éloigner]
3. L'astronome, avant de poursuivre ses explications, est __________ chercher une carte du ciel. [aller]
4. Charline est __________ par tout ce qu'il dit. [éblouir]
5. Ses yeux pétillants sont __________ vers le ciel. [lever]
6. Comme c'est dommage, la visite de l'observatoire d'astronomie est déjà __________. [finir]

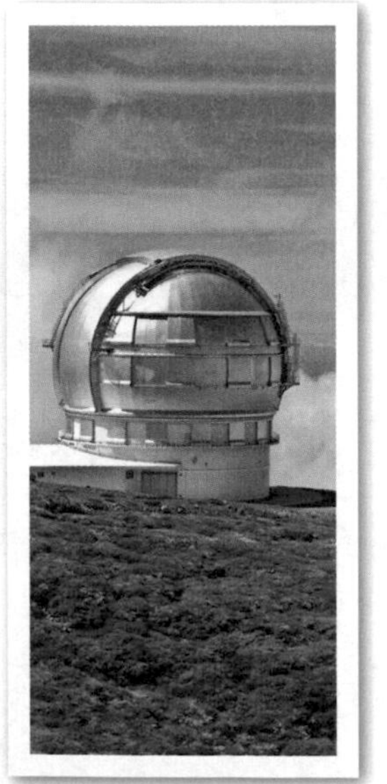

b) Complétez le tableau ci-dessous pour vérifier l'orthographe des participes passés que vous avez écrits.

NOMS NOYAUX DES GN SUJETS	GENRE ET NOMBRE DES SUJETS	PARTICIPES PASSÉS
Ex. : *observatoire*	*m. s.*	*ouvert*

Nom : ______________________ Groupe : __________ Date : __________

2 a) Encerclez les verbes attributifs dans les phrases ci-dessous.

b) Écrivez correctement les participes passés des verbes entre crochets.

c) Pour vérifier vos réponses, reliez ces participes passés aux noms noyaux des GN sujets ou aux pronoms sujets comme dans l'exemple.

Ex. : Les visiteurs (semblent) très intéressés par les différentes expositions. [intéresser]

1. Sarah et son amie paraissent ______________ d'une grande curiosité. [animer]
2. Les salles d'exposition sont ______________ d'une technologie multimédia. [munir]
3. Les explications scientifiques semblent moins ______________ grâce à ces activités interactives. [compliquer]
4. Plusieurs personnes restent ______________ de surprise par le réalisme des présentations. [saisir]
5. Certaines pièces de l'observatoire demeurent ______________ afin de permettre la mise en place de nouvelles expositions. [fermer]

3 Complétez les phrases en écrivant correctement les participes passés des deux verbes demandés.

a) composer

1. Notre système solaire est ______________ de huit planètes.
2. Les étoiles sont principalement ______________ de gaz.
3. Une constellation est ______________ d'un regroupement d'étoiles.

b) situer

1. Lors d'une éclipse solaire, la Lune est ______________ entre la Terre et le Soleil.
2. ✲ Mercure, Vénus, Mars, Jupiter, Saturne, Uranus et Neptune sont ______________ dans notre système solaire.
3. La galaxie la plus près de nous est ______________ à plus de deux millions d'années-lumière.

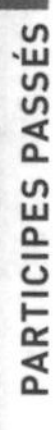

Nom : ______________________ Groupe : __________ Date : __________

4 Dans les phrases ci-dessous :

- surlignez les participes passés employés avec les verbes attributifs ;
- écrivez au-dessus des sujets leur genre et leur nombre ;
- biffez les participes passés mal orthographiés et corrigez-les.

Ex. : *Yasmine et Lucas* (*m. pl.*) *sont ~~resté~~* (*restés*) *quelques instants dans l'astronef.*

ERREURS !

1. À cause de leur atterrissage catastrophique, ils semblent encore un peu ébranlés.
2. Cette planète leur paraît bien éloignés de leur destination première.
3. Leur système de repérage étant en panne, la position de leur vaisseau reste indéterminé.
4. Les habitants de la planète demeurent cachés le temps de les observer.
5. Comme les deux étrangers ne semblent pas apeurés, ils s'avancent lentement vers eux.
6. Les habitants semblent dotés d'une technologie très avancée.
7. Leur corps est articulés comme celui d'un robot.
8. Yasmine et son compagnon sont rassurée de rencontrer des êtres pacifiques.
9. Les humanoïdes semblent déconcerté par l'apparence des deux Terriens.

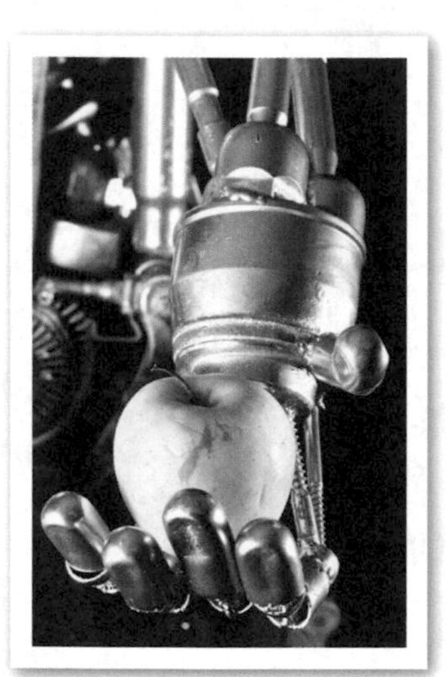

b) Récrivez les phrases 3, 5 et 8 en remplaçant les participes passés par des adjectifs qui ne proviennent pas d'un verbe.

____

____

____

____

____

____

____

____

____

Nom : ______________________ Groupe : ____________ Date : ____________

Pour faire le point

Les participes passés

p. 115-116

1 a) Complétez le texte ci-dessous en écrivant les participes passés des verbes entre crochets.

b) Relisez le texte, puis répondez aux questions qui suivent.

Autour de la Lune

Le 4 décembre, les chronomètres marquaient 5 h du matin lorsque les voyageurs, ____________ [reposer], se réveillèrent. Ils étaient maintenant ____________ [enfermer] depuis 54 heures dans l'engin spatial. ____________ [propulser] dans l'espace tel un boulet de canon, l'engin était ____________ [arriver]

5 à franchir près de 70 % de la distance ____________ [estimer] entre la Terre et la Lune.

ERREURS! Ils observèrent la Terre par la fenêtre située à l'arrière de l'engin. Elle leur apparut comme une tache sombre, enveloppés par les rayons solaires. Au-dessus, la Lune se rapprochait de plus en plus de l'itinéraire suivie par l'engin spatial. Ils allaient se rencontrer à l'heure dite. Tout autour, la voûte noire était constellé de points brillants

10 qui semblaient se déplacer lentement. Même s'ils étaient plus proches des étoiles, celles-ci étaient restés de la même grosseur.

En fait, le Soleil et les étoiles leur apparaissaient exactement comme ils les voyaient de la Terre. La Lune, elle, avait considérablement grossi. Toutefois, les lunettes qu'ils portaient, peu puissantes, ne leur permettaient pas encore de faire des observations

15 intéressantes. La surface de la Lune était encore trop éloignée. Ils ne pouvaient pas distinguer le relief accidenté du paysage lunaire constitué de mers, de plateaux et de cratères creusés par les météorites.

Adapté de Jules VERNE (1828-1905).

2 a) Entre les lignes 6 et 11, vérifiez l'accord de chacun des participes passés. Pour cela :

- tracez une flèche entre le nom ou le pronom donneur et le participe passé ;
- écrivez au-dessus du nom ou du pronom son genre et son nombre.

b) Biffez les participes passés mal orthographiés et récrivez-les correctement au-dessus.

3 a) Entre les lignes 12 et 17, surlignez les participes passés, puis classez-les dans le tableau ci-dessous.

PARTICIPES PASSÉS		
EMPLOYÉS SEULS	EMPLOYÉ AVEC *ÊTRE*	EMPLOYÉ AVEC *AVOIR*
	—	—
	—	—

b) Donnez l'infinitif de chacun des participes passés relevés en a) et indiquez le verbe qui sert de modèle de conjugaison à chacun.

INFINITIFS	VERBES MODÈLES DE CONJUGAISON

TEXTE *EXPRESS*

p. 130-131

Les êtres humains envoient des engins dans l'espace comme des satellites, des fusées et des sondes. Et parfois, des objets provenant de l'espace, comme des météorites ou toute autre sorte de débris, tombent sur Terre. Et s'il vous arrivait de découvrir un tel objet…

■ ■ ■

Rédigez un texte d'environ 75 mots pour décrire un objet étrange provenant de l'espace que vous auriez trouvé. Donnez les circonstances de votre découverte ainsi qu'une description détaillée de l'objet.

■ ■ ■

1 Rédigez votre texte au passé. Utilisez principalement le passé composé et l'imparfait.

2 Surlignez les participes passés dans votre texte.

3 Vérifiez la forme de vos participes passés dans vos tableaux de conjugaison et notez la page du tableau correspondant à sa conjugaison au-dessus de chaque participe passé.

10

Comment améliorer ses textes ?

La séquence narrative

P 1re 2e

Connaître l'organisation du récit aide à bien raconter une histoire.

EN BREF

La séquence narrative se construit autour du schéma narratif. Celui-ci comprend généralement les parties suivantes : la situation initiale, l'élément déclencheur, le déroulement, le dénouement et la situation finale.

p. 128-130

1 Lisez le récit d'aventures ci-dessous, puis répondez aux questions qui suivent.

Perdue à Machu Picchu

À bord du train qui m'amène vers Machu Picchu, je contemple le paysage. Cette région du Pérou est magnifique avec ses rivières et ses belles forêts. Je m'imagine, au temps des explorateurs, parcourant cette jungle à la recherche de la cité perdue.

Comme je rêvasse, le train ralentit. Curieuse, je sors sur 5 le marchepied pour voir ce qui se passe. C'est alors que le train accélère subitement. Déséquilibrée par la secousse, je tombe du train. Le temps de me relever, le train est déjà trop loin. Je me retrouve seule en pleine jungle. Ma mère avait bien raison de me répéter : « India, ta curiosité finira par t'attirer des ennuis ».

10 Après deux heures de marche, je croise une rivière et j'aperçois un village situé sur l'autre rive. Je plonge dans la rivière, bien décidée à trouver de l'aide. À peine entrée dans l'eau, je ressens une vive douleur à un bras. Horreur ! Je suis entourée de piranhas ! Je regagne la rive à bout 15 de souffle. Je compte plusieurs morsures, mais elles sont peu profondes. Je recouvre mes plaies de boue pour stopper le sang et je reprends mon chemin avec angoisse, car je sais que cette jungle renferme d'autres dangers.

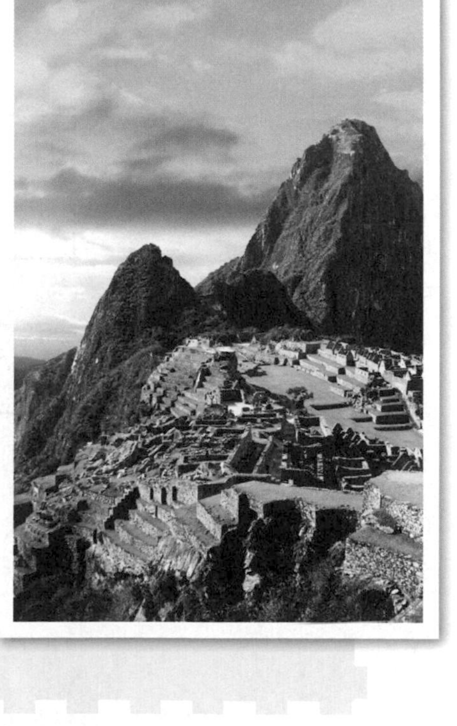

C'est maintenant la nuit, je marche depuis une éternité. Les cris et les hurlements
20 des animaux me terrorisent. Tandis que je me demande s'ils me surveillent, un puma me barre la route. Il pousse un grognement effroyable, puis s'élance vers moi. Je reste figée. Un coup de feu retentit. Le puma s'enfuit, effrayé par la détonation. Non loin, un berger me sourit, un fusil à la main.

L'homme m'invite à son campement et j'accepte avec empressement, heureuse
25 d'avoir trouvé de l'aide. Nous dormons en sécurité près du feu, car les bêtes se tiennent loin des flammes.

Au lever du soleil, c'est l'enchantement ! Le site archéologique de Machu Picchu s'étend devant moi. Au loin, je crois même reconnaître quelques passagers du train.

Marie Sylvie LEGAULT

2 a) Dans le texte, tracez un trait oblique au début et à la fin de chacune des parties du schéma narratif.

b) Écrivez le nom de chaque partie là où elle commence.

3 Complétez le schéma ci-dessous. Pour cela :

- écrivez les numéros des lignes correspondant aux péripéties ;
- résumez les péripéties en une ou deux phrases ;
- tracez une ligne sur les pointillés pour indiquer si la conséquence est un échec ou une réussite.

INDIA SE RETROUVE SEULE EN PLEINE JUNGLE.

1er OBSTACLE (péripétie)

Lignes ____ à ____ : ______________________________

____

ÉCHEC | **RÉUSSITE**

2e OBSTACLE (péripétie)

Lignes ____ à ____ : ______________________________

____

ÉCHEC | **RÉUSSITE**

INDIA ACCOMPAGNE LE BERGER, ELLE A TROUVÉ DE L'AIDE.

Nom : ______ Groupe : ______ Date : ______

La séquence descriptive

P 1re 2e

★★★

Connaître les façons d'organiser ses idées pour décrire un sujet aide à écrire des descriptions claires et efficaces.

EN BREF

- La séquence descriptive présente un fait réel ou fictif : un lieu, une chose, une personne, etc.
- En règle générale, la séquence descriptive commence par l'identification du sujet (*le quoi*). Elle présente ensuite les aspects et les sous-aspects du sujet (*le comment*). La séquence descriptive se termine par un rappel du sujet, une reformulation, une comparaison, etc.

p. 128, 130-131

1 Lisez le texte descriptif ci-dessous, puis répondez aux questions qui suivent.

L'armée de l'empereur Qin

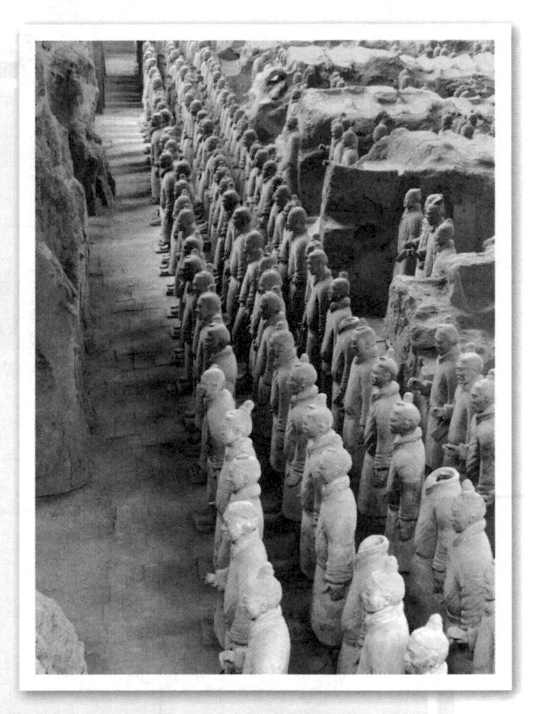

Depuis sa découverte en 1974, le mausolée de l'empereur Qin[1], situé au cœur de la Chine, fascine les archéologues. Quelque 7000 soldats en terre cuite, grandeur nature, sont enfouis tout autour
5 de son tombeau.

Près de 2000 soldats ont été déterrés à ce jour. Ils sont tous différents par leur visage, leur taille, leur habillement, etc. Ils portent tous une tenue de combat et une arme. Certains ont des chevaux, d'autres
10 des chars. Parfaitement alignées côte à côte, ces statues forment de longues rangées de soldats semblant prêts à affronter l'ennemi.

Chacune des pièces de cette armée est une œuvre d'art unique. Elle est moulée et sculptée dans les moindres détails. Ce sont de grands artisans qui les ont façonnées.

Mais pourquoi cet empereur s'est-il fait enterrer au centre d'une telle armée ?
15 Simplement parce qu'il craignait d'avoir à affronter ses nombreux ennemis dans l'au-delà.

Ces guerriers de terre cuite représentent une grande découverte archéologique. Toutefois, on ne sait toujours pas si, dans l'au-delà, ils ont été utiles à l'empereur !

Marie Sylvie LEGAULT

1. Empereur Qin : empereur de Chine, qui a régné de 221 à 210 avant notre ère.

Nom : ____________________ Groupe : __________ Date : __________

2 Complétez le schéma du texte, dont la séquence dominante est descriptive. Pour cela :

- indiquez les numéros des lignes qui correspondent aux parties du texte ;
- résumez en quelques mots le sujet du texte et les deux aspects développés ;
- rédigez une phrase contenant parce que pour résumer le contenu de la séquence explicative insérée ;
- donnez les deux éléments contenus dans la conclusion parmi les suivants : un rappel du sujet, une hypothèse, une comparaison ou une remarque.

IDENTIFICATION DU SUJET (*le quoi*)

Lignes ____ à ____ : ____________________

1er ASPECT (*le comment*)	2e ASPECT (*le comment*)	SÉQUENCE EXPLICATIVE INSÉRÉE
Lignes ____ à ____ :	Lignes ____ et ____ :	Lignes ____ à ____ :

CONCLUSION

Lignes ____ et ____ : La conclusion contient ____________________ et ____________________.

3 Relevez une phrase dans le texte qui décrit particulièrement bien la photo.

____

Nom : ____________________ Groupe : __________ Date : __________

La division d'un texte en paragraphes

P 1re 2e
★★★

EN BREF

Pour diviser un texte, on crée des paragraphes. Par exemple, on insère un paragraphe entre deux péripéties dans un récit d'aventures ou entre deux aspects dans une description.

p. 136

Créer des paragraphes dans un récit permet de regrouper les évènements qui sont liés et, dans une description, de regrouper ses idées.

1 À l'aide des six aspects et sous-aspects suivants, complétez le plan de texte décrivant le site de Stonehenge, un célèbre alignement de pierres datant de plus de 4000 ans.

- Un centre d'observation astronomique.
- La description du site.
- Des hypothèses sur l'utilisation du site.
- Le lieu de rassemblement d'une tribu.
- Un fossé et un talus entourant les cercles de pierres.
- La plaine de Salisbury située en Angleterre.

PLAN DE TEXTE

Titre du texte : Les pierres de Stonehenge

1er aspect : L'emplacement du site.

Sous-aspect : ____________________

2e aspect : ____________________

Sous-aspect : Quatre cercles concentriques formés avec des pierres de tailles différentes.

Sous-aspect : ____________________

3e aspect : ____________________

Sous-aspect : ____________________

Sous-aspect : ____________________

Nom : ______________________ Groupe : __________ Date : __________

2 Récrivez le texte ci-dessous en mettant les phrases en ordre. Pour cela :

- regroupez les phrases en deux paragraphes correspondant aux deux aspects ;
- tenez compte des organisateurs textuels pour l'enchaînement des phrases.

ERREURS !

Les ruines d'Angkor

Elle se dresse au milieu d'une dense forêt. Ce dernier y construisit une capitale si magnifique qu'aucun de ses successeurs ne vit la nécessité d'y apporter des changements. La cité d'Angkor se situe au Cambodge en Asie. D'ailleurs, la végétation a envahi en partie son palais, ses temples et ses autres constructions. La raison en est que différents rois se succédèrent au fil du temps. Chacun d'eux ordonna la construction de nouveaux monuments jusqu'à la prise du pouvoir par Jayavarman VII. Sa construction s'est échelonnée sur près de trois siècles. La cité est bâtie sur un territoire d'environ 400 km².

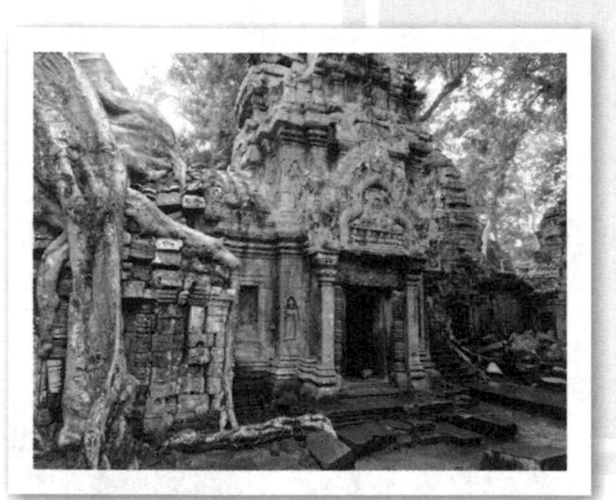

La cité d'Angkor se situe au Cambodge en Asie.

La cité est bâtie sur un territoire d'environ 400 km².

Nom : ______________________ Groupe : __________ Date : __________

Les marqueurs de relation et les organisateurs textuels

P 1re 2e

→ ★ ★

Insérer des marqueurs de relation et des organisateurs textuels dans un texte aide à bien faire progresser l'information.

EN BREF

- Les marqueurs de relation permettent de faire le lien entre un énoncé et ce qui précède.

Ex. : *mais, ou, et, donc, car, ni, or, cependant, lorsque, pendant que*, etc.

- Les organisateurs textuels sont les marques qui délimitent les séquences textuelles ou les différentes parties à l'intérieur d'une même séquence. Les organisateurs textuels servent aussi à préciser le contexte en donnant des indications de lieu et de temps.

Ex. : *il était une fois, premièrement, enfin, un jour, plus tard, là-bas*, etc.

p. 136-139

1 a) Soulignez les marqueurs de relation dans les phrases ci-dessous.

Ex. : *J'aime la pêche au saumon, car elle me permet d'être en pleine nature.*

1. Nous lançons nos lignes à l'eau, puis nous patientons sagement.
2. Je m'assois confortablement en attendant que les poissons mordent à l'hameçon.
3. Mon appât s'est décroché de l'hameçon ou un poisson l'a mangé.
4. ✲ Le poisson est parti. Je ne suis toutefois pas découragé.

b) Utilisez les marqueurs que vous avez soulignés en a) pour compléter les phrases suivantes.

Ex. : *Je mets la table* en attendant que *mes invités arrivent.*

1. J'ai nettoyé le saumon que Paul a pêché. ____________ , je ne l'ai pas apprêté.
2. Nous avons préparé un riz aux champignons, ____________ nous en avons garni le poisson.
3. Nous avons hâte de goûter à cet plat, ____________ nous le préparons pour la première fois.
4. Préférez-vous manger tout de suite ____________ voulez-vous attendre encore un peu ?

2 Dans chacun des paragraphes ci-dessous, surlignez les organisateurs textuels. Pour vous aider, le nombre et le type d'organisateurs de chaque paragraphe sont indiqués entre crochets.

Elisapee et Rebecca font une balade. Elles marchent en direction du lac. Arrivées à destination, elles s'assoient pour admirer le paysage. Ici, il n'y aucun bruit. L'endroit est calme et paisible. [3 organisateurs de lieu]

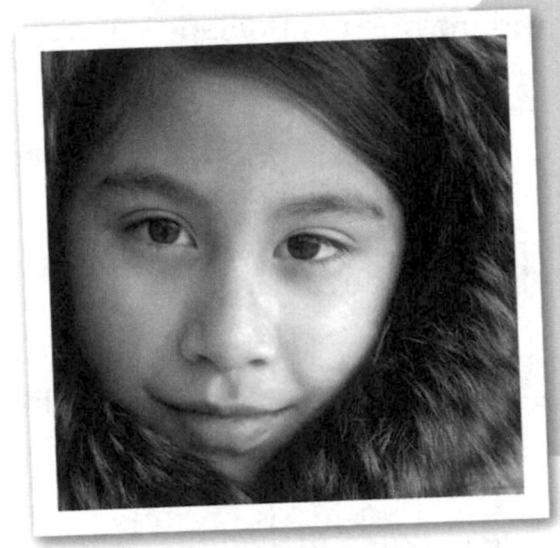

Elles aperçoivent un bel inukshuk. Ce sont les anciens du village qui l'ont construit il y a des années. Il leur servait à l'époque de repère pour retrouver leur campement lorsqu'il neigeait abondamment. [3 organisateurs de temps]

Cet inukshuk représente une personne. Pour le construire, ils ont d'abord amassé un tas des pierres plates. Puis, ils les ont empilées ingénieusement. Ils ont ensuite érigé les jambes, le corps et les bras. Enfin, ils ont déposé une grosse pierre ronde en guise de tête. L'ensemble est assez ressemblant. [4 organisateurs d'ordre]

Nom : ______________________ Groupe : __________ Date : ______________

La reprise de l'information

EN BREF

P 1re 2e
★ ★ ★

- La reprise de l'information peut se faire à l'aide de pronoms.

Ex. : *Camille et Justin arrivent à Séoul, en Corée. Ils ont fait un long voyage.*

- On peut aussi reprendre l'information par d'autres procédés, par exemple :
  - répéter un GN en partie ou répéter le nom noyau du GN avec un déterminant différent ;

Ex. : *Ils logent dans un petit village. Ce village se compose de 1000* hanoks.

  - utiliser des synonymes, des mots génériques ou spécifiques, des mots de la même famille, des mots marquant la relation entre le tout et ses parties, etc.

Ex. : L'hanok *est coréenne. C'est une maison traditionnelle.*

Utiliser les différents procédés de reprise de l'information permet d'éviter les répétitions inutiles et d'enchaîner les idées.

p. 3-6, 139-140

1 Dans les phrases ci-dessous, surlignez les mots utilisés pour reprendre l'information ainsi que les mots auxquels ils renvoient.

Ex. : *Certaines* hanoks *sont converties en musées. D'autres sont transformées en gîtes touristiques.*

1. Ces maisons ont été construites au début du 20e siècle. Les Coréens en sont fiers.
2. Les touristes peuvent louer certaines de ces maisons. Ils expérimentent ainsi la vie traditionnelle coréenne durant quelques jours.
3. Les cours intérieures sont calmes et paisibles. Leurs jardins sont aménagés à l'ancienne.
4. Le village est un vrai labyrinthe. Ses rues sont étroites et inclinées.
5. On ouvre de nouveaux commerces dans le village. Ces galeries d'art, ces boutiques et ces restaurants attirent les touristes.
6. On peut acheter de jolis costumes traditionnels. Comme ils sont brodés à la main, ces vêtements sont uniques.
7. Le coin offre de plus en plus d'activités. Il est en pleine croissance.
8. Les maisons restaurées valorisent le patrimoine culturel. C'est pourquoi les propriétaires ont reçu des subventions pour faire ces restaurations.
9. Le soir, plusieurs rues sont illuminées. C'est agréable de s'y balader.

Nom : ______________________ Groupe : __________ Date : __________

2 Dans chacun des paragraphes ci-dessous, soulignez les mots utilisés pour reprendre l'information mise en gras.

L'*hanok*, une construction intelligente

L'*hanok* est écologique. Ses matériaux sont le bois, la pierre, la paille, l'argile et le papier. Elle a un toit prolongé, qui la protège de la pluie et du soleil. Cette habitation repose sur des plateformes. Ainsi, ses planchers ne sont pas humides. Elle est pourvue au sol d'un système de chauffage à air chaud. Des portes coulissantes, qui sont fabriquées avec un papier traditionnel coréen, divisent la maisonnette et y laissent passer la lumière. Ses chambres sont généralement petites pour conserver la chaleur.

Dans l'*hanok*, **le mobilier** est épuré… Les meubles sont jolis, mais discrets et peu nombreux. Il n'y a pas de lits ni de chaises. On y trouve généralement quelques tables basses, des coussins, des tapis de bambou et des matelas à même le sol. Mais rassurez-vous, si elle est meublée simplement, elle est tout de même très confortable.

3 Complétez les paragraphes ci-dessous en reprenant les mots en gras à l'aide des procédés de reprise indiqués entre crochets.

1 Pronom personnel.
2 Pronom démonstratif.
3 Mot ou groupe de mots synonyme.
4 Générique.
5 Mot marquant la relation entre le tout et ses parties.

Une journée à Séoul

À l'heure du dîner, je commande un bol de **riz.** // [1] semble brûlant. Lorsque j' ______ [1] goûte, je trouve ______ [5] un peu collants. Je n' ______ [1] ai jamais mangé d'aussi bon. ______ [1] est tout simplement délicieux.

Lorsque je déambule dans le village, j'aperçois de **jolies petites cloches.** ______ [2] sont accrochées sous le porche d'une boutique. ______ [3] tintent doucement à cause de la brise. ______ [1] brillent au soleil. Je ______ [1] adore !

J'assiste à **la relève de la garde au palais royal.** ______ [4] se déroule selon les traditions. ______ [1] a lieu tous les jours, le matin et le soir. J'ai pris plusieurs belles photos au cours de ______ [2].

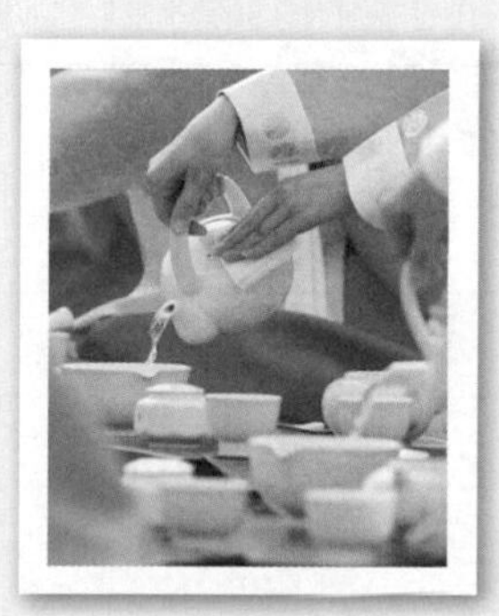

✲ J'entre dans une maison de **thé** pour faire une pause. Une dame coréenne m'apporte une tasse de ______ [4]. J'hume ______ [5] avant de ______ [1] boire. ______ [5] est légèrement sucré et épicé. Je bois le ______ [4] lentement pour savourer ce moment de détente.

Nom : ______ Groupe : ______ Date : ______

Le discours rapporté direct

P 1re 2e
★★★

EN BREF

- Lorsqu'on rapporte mot à mot les paroles d'une personne, on peut utiliser un verbe introducteur suivi d'un deux-points et des paroles entre guillemets.

Ex. : *Laurie dit : « J'aimerais visiter Rome un jour. »*

- On peut aussi identifier la personne qui parle en utilisant une phrase incise, insérée dans une autre phrase. On place une virgule avant cette phrase et une virgule ou un point après.

P incise

Ex. : *« Rome est une ville magnifique », [affirme Nathan].*

Introduire des discours rapportés directs dans un récit crée un effet de vraisemblance.

p. 54-55, 143-144

1 Dans les phrases ci-dessous, soulignez les verbes introducteurs et encerclez les phrases incises.

Ex. : *Xiao demande : « Quelles villes allons-nous visiter ? »*
« Rome est la plus grande ville d'Italie », précise Nathan.

1. En entrant dans le Colisée, Delphine s'écrie : « J'arrive à entendre la foule ! »
2. « Le Colisée pouvait accueillir 50 000 personnes. Le saviez-vous ? » demande Jacob.
3. « L'empereur, explique Jacob, organisait régulièrement des jeux pour distraire la population. »
4. Miguel dit à Sarah : « Je me demande comment les vainqueurs étaient récompensés. »

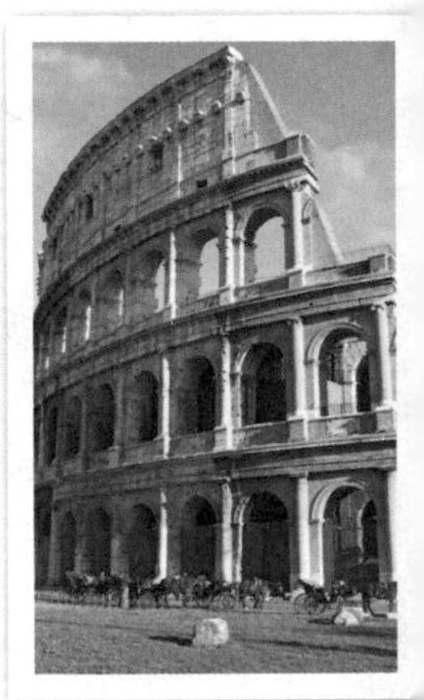

2 Récrivez les phrases ci-dessous en ajoutant un verbe introducteur différent dans chaque phrase.

Ex. : *La fontaine de Trevi date du 18e siècle.*
Delphine dit : « La fontaine de Trevi date du 18e siècle. »

1. « Comme cette fontaine est belle ! »

______

2. « C'est la statue de Neptune qui trône au centre de la fontaine. »

______

______

3. « J'ai fait un vœu en jetant une pièce de monnaie dans la fontaine. »

______

______

Nom : ______________________ Groupe : __________ Date : __________

Pour faire le point

Les textes

p. 127-144

1 Lisez le texte ci-dessous, puis répondez aux questions qui suivent.

Égypte – Louxor, un musée à cœur ouvert

Louxor — Le centre-ville de Louxor vibre au rythme de la machinerie lourde qui écrase les maisons et martèle le sol depuis plus de trois ans. Pour se rendre au temple de Karnak, à trois kilomètres de celui de Louxor, les détours se multiplient, car les archéologues sont en pleines fouilles dans **l'allée des Sphinx, une avenue cérémoniale** 5 **à l'époque pharaonique, ensevelie sous des siècles de couches sablonneuses et de constructions contemporaines.**

L'idée de ce projet du Conseil suprême des antiquités égyptiennes (CSA) est de créer un véritable musée en plein air, au cœur de cette ville inscrite au patrimoine mondial de l'UNESCO depuis 1979. [...]

10 L'allée des Sphinx a été construite par le pharaon Amenhotep III, qui a laissé sa trace il y a 3400 ans dans l'ancienne Thèbes, ville capitale au temps des pharaons, ensuite devenue Louxor. À l'époque, les temples de Karnak et de Louxor étaient reliés par cette avenue empruntée une fois l'an par un cortège d'Égyptiens qui commémoraient le mariage du dieu Amon et de son épouse 15 Mout. Le site a ensuite servi comme lieu de cérémonies religieuses avant d'être utilisé par les Romains, qui ont jadis régné en Égypte. Plusieurs rois, reines et pharaons, tels que Ramsès II, ont laissé leur marque dans l'avenue. Cléopâtre y aurait même gravé son cartouche[1] en foulant l'allée lors d'un voyage en compagnie de Marc-Antoine.

Découvrir la richesse des trésors égyptiens enfouis dans le sous-sol de Louxor a 20 toutefois un prix, payé par les centaines de familles qui ont été refoulées. Leurs maisons érigées sur le site recouvert ont été rasées, ainsi que certains bâtiments historiques, comme celui du Centre d'études franco-égyptien, construit dans la maison du pionnier des travaux de Karnak, Georges Legrain.

Émilie FOLIE-BOIVIN, *Le Devoir.com*, 17 décembre 2011. [En ligne.]

1. Son cartouche : son nom en hiéroglyphes égyptiens.

Nom : ______ Groupe : ______ Date : ______

2 a) Complétez le schéma ci-dessous. Pour cela :
- indiquez les numéros de lignes des parties du texte ;
- résumez en quelques mots le sujet du texte et les trois aspects développés.

IDENTIFICATION DU SUJET (*le quoi*)		
Lignes ___ à ___ : ______		
1er ASPECT (*le comment*)	2e ASPECT (*le comment*)	3e ASPECT (*le comment*)
Lignes ___ à ___ : ______ ______	Lignes ___ à ___ : ______ ______	Lignes ___ à ___ : ______ ______

b) Identifiez la séquence dominante du texte.

______

3 Expliquer en quelques mots pourquoi le texte des lignes 7 à 23 est divisé en trois paragraphes.

______

4 a) Encerclez un marqueur de relation placé dans les deux premières lignes du dernier paragraphe.

b) Soulignez six organisateurs textuels de temps placés entre les lignes 10 et 18.

5 Le groupe de mots surligné dans le texte reprend le groupe de mots en gras du premier paragraphe. Entre les lignes 10 et 18, surlignez cinq autres mots ou groupes de mots utilisés pour reprendre le même groupe en gras.

TEXTE *EXPRESS*

p. 128-130

De 1895 à 1917, le Français Georges Legrain a le mandat de dégager et de restaurer les monuments égyptiens enfouis dans le sable à Karnak. Une centaine de personnes travaillent sur son chantier. Son équipe et lui font de grandes trouvailles.

■ ■ ■

Reportez-vous à cette époque. Imaginez une dure journée de travail, récompensée par la découverte d'un trésor archéologique. Rédigez un texte d'environ 75 mots pour raconter une découverte faite par Georges Legrain.

■ ■ ■

1 Racontez votre histoire à la 3e personne.

2 Utilisez au moins deux organisateurs textuels et encerclez-les.

3 Employez les procédés de reprise de l'information pour éviter les répétitions inutiles. Souligner d'un trait chaque pronom et soulignez de deux traits son antécédent. Écrivez au-dessus de l'antécédent son genre et son nombre.

4 Insérez un discours rapporté direct dans votre texte. Surlignez la ponctuation utilisée pour insérer les paroles rapportées.

Comment améliorer le vocabulaire dans un texte ?

Le sens des mots

P 1re 2e

★★★

EN BREF

- La plupart des mots possèdent plusieurs sens. C'est la *polysémie*.
  Le contexte permet de distinguer le sens d'un mot parmi tous les sens possibles.

Ex. : *Elle joue une note.* — *Sens : un son musical.*
J'écris une note dans la marge. — *Sens : une indication écrite.*

- Un mot est employé au sens propre ou au sens figuré.

Ex. : *Le public se tait au lever du rideau.* — *Sens propre : cesse de parler.*
La musique se tait subitement. — *Sens figuré : cesse de jouer.*

Employer des mots au sens figuré permet de créer des images dans l'esprit des lecteurs.

p. 145-146

a) Lisez le poème ci-dessous et donnez le sens des mots surlignés.

b) Parmi ces mots surlignés, encerclez ceux employés au sens figuré.

Le faux air du faussaire

Sens

Par sa cupidité, un faussaire aveuglé ______

Fit siennes les œuvres d'un peintre doué.

Sans gêne, il les signa de son pinceau

Et les mit en vente comme ses tableaux.

Devant les collectionneurs qu'il rencontra,

Son faux air d'artiste illustre toujours il afficha. ______

Sa célébrité, de bouche en bouche, vola ______

Et de fortes sommes d'argent il encaissa. ______

Si quelques remords il eut,

Par aucun, rongé il ne fut, ______

Jusqu'au jour où, sur son délit, le voile on leva. ______

Et qu'enfermé dans un cachot, il se retrouva. ______

Marie Sylvie LEGAULT

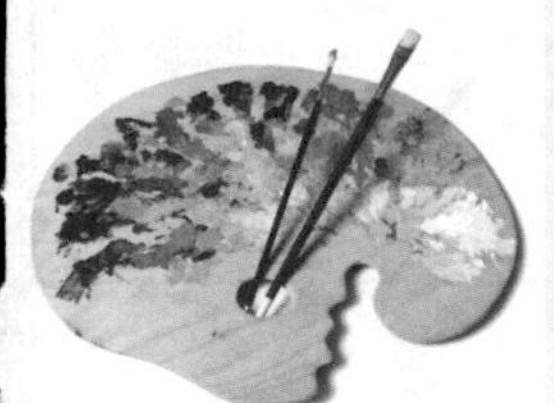

Nom : ______________________ Groupe : __________ Date : __________

LEXIQUE

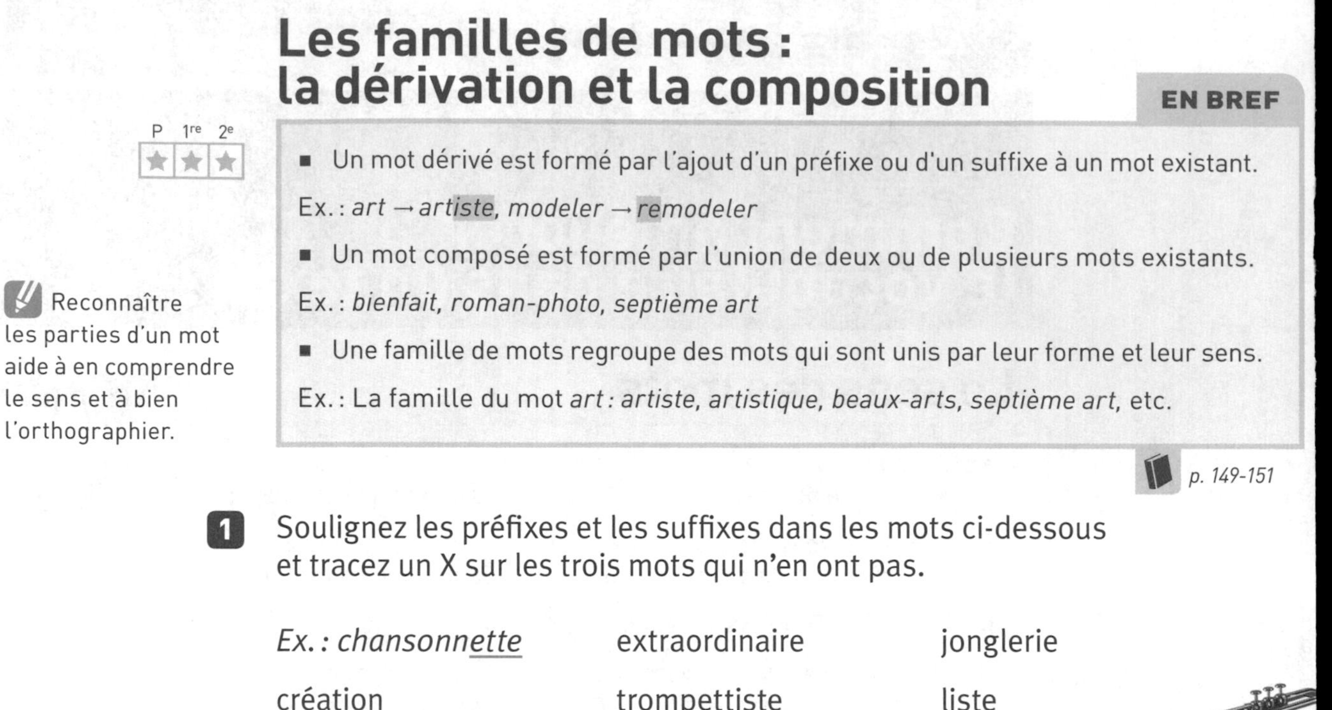

Les familles de mots : la dérivation et la composition

P 1re 2e
★★★

EN BREF

- Un mot dérivé est formé par l'ajout d'un préfixe ou d'un suffixe à un mot existant.

Ex. : *art → artiste, modeler → remodeler*

- Un mot composé est formé par l'union de deux ou de plusieurs mots existants.

Ex. : *bienfait, roman-photo, septième art*

- Une famille de mots regroupe des mots qui sont unis par leur forme et leur sens.

Ex. : La famille du mot *art : artiste, artistique, beaux-arts, septième art*, etc.

p. 149-151

Reconnaître les parties d'un mot aide à en comprendre le sens et à bien l'orthographier.

1 Soulignez les préfixes et les suffixes dans les mots ci-dessous et tracez un X sur les trois mots qui n'en ont pas.

Ex. : chansonnette	extraordinaire	jonglerie
création	trompettiste	liste
collage	interdisciplinaire	musical
encadrer	interpréter	vedette

2 a) À l'aide des préfixes et du suffixe proposés, formez des mots appartenant aux familles de mots ci-dessous.

b) Soulignez ces préfixes et ce suffixe dans les mots.

MOTS DE BASE	MOTS DE LA MÊME FAMILLE		
	dé-	re-	-age
colorer	Ex. : *décolorer*		
chant			
tour			

3 Ajoutez les lettres appropriées pour former des mots composés. S'il y a lieu, tracez un trait d'union dans les cases.

Ex. : *arrière* [-] *plan.*

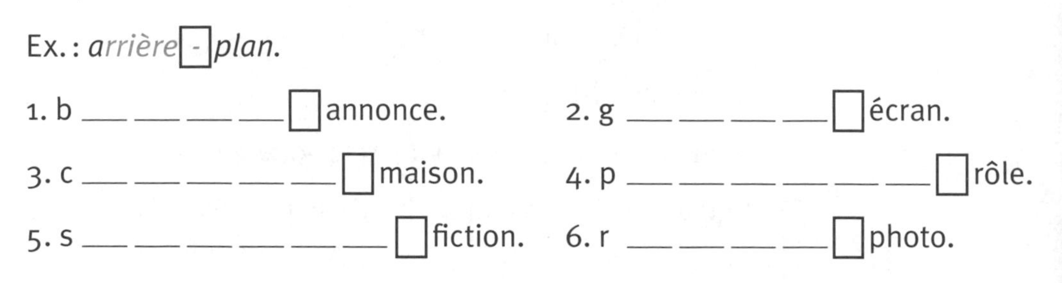

1. b _ _ _ _ [ ] annonce.
2. g _ _ _ _ [ ] écran.
3. c _ _ _ _ _ [ ] maison.
4. p _ _ _ _ _ _ [ ] rôle.
5. s _ _ _ _ _ _ [ ] fiction.
6. r _ _ _ _ [ ] photo.

Nom : ______________________ Groupe : ________ Date : ____________

Les mots génériques et les mots spécifiques

EN BREF

P 1re 2e → ★ ★

Un mot générique désigne une catégorie d'êtres ou de choses tandis qu'un mot spécifique désigne un être ou une chose qui entre dans cette catégorie.

Ex. : Mot générique : *art*

Mots spécifiques : *cinéma, danse, dessin, musique, peinture, photographie, sculpture*, etc.

p. 152

1 Complétez les tableaux ci-dessous.

Remplacer un mot générique par un mot spécifique déjà mentionné dans un texte, ou l'inverse, permet d'éviter les répétitions inutiles.

MOT GÉNÉRIQUE	DÉFINITION
Dessinateur / Dessinatrice	Personne qui dessine.
MOTS SPÉCIFIQUES	**DÉFINITION**
Bédéiste	Personne qui dessine des ______________________
______________	Personne qui dessine des caricatures.
Portraitiste	Personne qui dessine des ______________

MOT GÉNÉRIQUE	DÉFINITION
Écrivain / Écrivaine	Personne qui écrit des ______________
MOTS SPÉCIFIQUES	**DÉFINITION**
Dramaturge	Personne qui écrit des ______________________
Romancier / Romancière	Personne qui écrit des ______________
______________	Personne qui écrit des poèmes.

2 Dans les paires de phrases ci-dessous, remplacez un des deux mots répétés par un mot générique ou spécifique et utilisez le bon déterminant.

Ex. : *Je joue un do au piano. ~~Le do~~ La note n'est pas juste.*

1. Anabelle accorde son piano. Son piano sonne un peu faux.
2. La pianiste donnera un concert. La pianiste répète quelques accords.
3. Un parolier écrit des chansons. Ses chansons sont poétiques.
4. Elle adore le jazz. Le jazz, c'est toute sa vie.

Nom : ______ Groupe : ______ Date : ______

Les synonymes et les antonymes

P 1re 2e

EN BREF

- Un synonyme est un mot dont le sens se rapproche suffisamment de celui d'un autre mot pour pouvoir le remplacer dans certains contextes.

fredonne
Ex. : *Maëlle chantonne tout le temps.*

- Un antonyme est un mot dont le sens est à l'opposé d'un autre mot.

graves
Ex. : *Cet instrument produit des sons aigus.*

p. 152

Reformulez chacune des phrases ci-dessous de deux façons différentes tout en conservant son sens. Pour cela :

- remplacez un mot par un synonyme ;
- remplacez un mot par un antonyme et insérez des adverbes de négation.

Ex. : *J'aime les comédies musicales dont la mise en scène est originale.*

J'aime les comédies musicales dont la mise en scène est ***inédite****.*

J'aime les comédies musicales dont la mise en scène ***n'****est* ***pas banale****.*

1. Nous cherchons une comédienne qui a une voix douce.

______

______

______

______

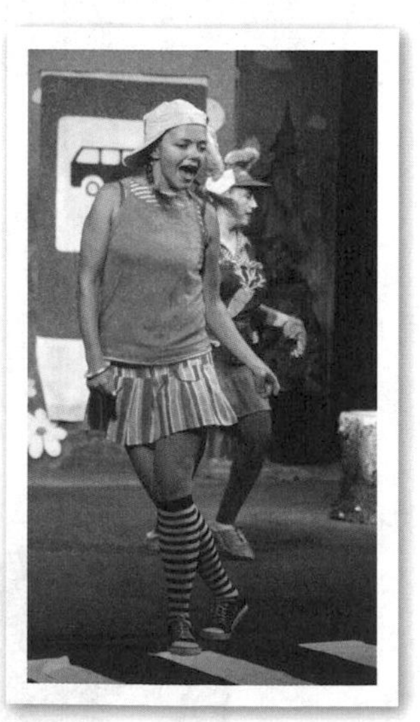

2. Les costumes extravagants des comédiens ont impressionné le public.

______

______

______

______

3. Les comédiens sont acclamés, car ils ont donné un spectacle amusant.

______

______

______

______

Nom : ______ Groupe : ______ Date : ______

Les mots génériques et les mots spécifiques

P 1re 2e

→ ★ ★

EN BREF

Un mot générique désigne une catégorie d'êtres ou de choses tandis qu'un mot spécifique désigne un être ou une chose qui entre dans cette catégorie.

Ex. : Mot générique : *art*

Mots spécifiques : *cinéma, danse, dessin, musique, peinture, photographie, sculpture,* etc.

p. 152

1 Complétez les tableaux ci-dessous.

Remplacer un mot générique par un mot spécifique déjà mentionné dans un texte, ou l'inverse, permet d'éviter les répétitions inutiles.

MOT GÉNÉRIQUE	DÉFINITION
Dessinateur / Dessinatrice	Personne qui dessine.
MOTS SPÉCIFIQUES	**DÉFINITION**
Bédéiste	Personne qui dessine des ______ ______
______	Personne qui dessine des caricatures.
Portraitiste	Personne qui dessine des ______

MOT GÉNÉRIQUE	DÉFINITION
Écrivain / Écrivaine	Personne qui écrit des ______
MOTS SPÉCIFIQUES	**DÉFINITION**
Dramaturge	Personne qui écrit des ______ ______
Romancier / Romancière	Personne qui écrit des ______
______	Personne qui écrit des poèmes.

2 Dans les paires de phrases ci-dessous, remplacez un des deux mots répétés par un mot générique ou spécifique et utilisez le bon déterminant.

Ex. : *Je joue un do au piano.* ~~*Le do*~~ *La note* *n'est pas juste.*

1. Anabelle accorde son piano. Son piano sonne un peu faux.
2. La pianiste donnera un concert. La pianiste répète quelques accords.
3. Un parolier écrit des chansons. Ses chansons sont poétiques.
4. Elle adore le jazz. Le jazz, c'est toute sa vie.

Nom : ______________________ Groupe : __________ Date : __________

LEXIQUE

Les synonymes et les antonymes

P 1re 2e

EN BREF

- Un synonyme est un mot dont le sens se rapproche suffisamment de celui d'un autre mot pour pouvoir le remplacer dans certains contextes.

Ex. : *Maëlle* ~~chantonne~~ **fredonne** *tout le temps.*

- Un antonyme est un mot dont le sens est à l'opposé d'un autre mot.

Ex. : *Cet instrument produit des sons* ~~aigus~~ **graves**.

p. 152

Reformulez chacune des phrases ci-dessous de deux façons différentes tout en conservant son sens. Pour cela :

- remplacez un mot par un synonyme ;
- remplacez un mot par un antonyme et insérez des adverbes de négation.

Ex. : *J'aime les comédies musicales dont la mise en scène est originale.*

J'aime les comédies musicales dont la mise en scène est ***inédite***.

J'aime les comédies musicales dont la mise en scène ***n'****est* ***pas banale***.

1. Nous cherchons une comédienne qui a une voix douce.

___

___

___

___

2. Les costumes extravagants des comédiens ont impressionné le public.

___

___

___

___

3. Les comédiens sont acclamés, car ils ont donné un spectacle amusant.

___

___

___

___

Nom : ______________________ Groupe : __________ Date : __________

Le champ lexical

P 1re 2e

→ ★ ★

Construire un champ lexical aide à planifier ou à rédiger un texte sur un thème donné.

EN BREF

Un champ lexical est un ensemble de mots qui renvoie à un même mot, que l'on appelle le *thème*. Il peut s'agir de mots de la même famille, de mots génériques ou de mots spécifiques, de synonymes ou de mots issus d'associations d'idées.

Ex. : Champ lexical du mot *étoile* : *étoiler, Soleil, ciel, constellation, astre, scintiller, briller*, etc.

p. 151-152

1 a) Lisez les poèmes ci-dessous, puis :

- soulignez les mots qui appartiennent au champ lexical du mot *arbre* ;
- surlignez ceux qui appartiennent au champ lexical du mot *étoile*.

Le rond et l'étoile

Pour faire une étoile à cinq branches
Ou à six ou davantage
Il faut d'abord faire un rond

Pour une étoile à cinq branches...
5 Un rond !
On n'a pas pris tant de précaution
Pour faire un arbre à beaucoup de branches
Arbres qui cachez les étoiles !
Arbres !
10 Vous êtes plein de nids et d'oiseaux chanteurs
Couverts de branches et de feuilles
Et vous montez jusqu'aux étoiles !

Robert DENOS (1900-1945), *La géométrie de Daniel.*

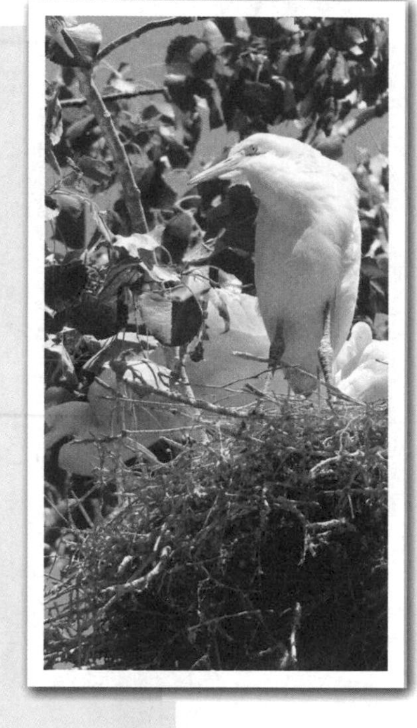

b) Relevez le mot qui appartient aux deux champs lexicaux.

____

c) Donnez le sens du mot *branches* dans les vers suivants.

Vers 1 : ______________________________

Vers 7 : ______________________________

Nom : ______________________ Groupe : __________ Date : __________

2 a) Lisez le poème ci-dessous, puis :

- encerclez les 9 mots qui appartiennent au champ lexical du mot *écrire*;
- soulignez les 4 mots qui appartiennent au champ lexical du mot *nuit*.

Le cahier

Comme il entrouvrait son cahier,

Il vit la lune

S'emparer de son porte-plume.

De crainte de la déranger,

Il n'osa pas même allumer.

Bien qu'il eût désiré savoir

Ce qu'elle écrivait en secret,

Il se coucha

Et la laissa là, dans le noir,

Faire tout ce qu'elle voulait.

Le lendemain,

Son cahier lui parut tout bleu.

Il l'ouvrit.

Une main traçait des signes si curieux

Qu'elle faisait en écrivant

Redevenir le papier blanc.

Maurice CARÊME, «Le cahier», *L'envers du miroir*.

b) Donnez votre interprétation du poème en vous aidant des champs lexicaux que vous avez relevés en a).

____

____

____

____

c) Complétez le tableau ci-dessous en trouvant des mots qui appartiennent au champ lexical du mot *écrire*.

CHAMP LEXICAL DU MOT *ÉCRIRE*		
MOTS DE LA MÊME FAMILLE	MOTS SYNONYMES	MOTS ISSUS D'UNE ASSOCIATION D'IDÉES
________	________	________
________	________	________
________	________	________

Nom : ______________________ Groupe : __________ Date : ______________

Pour faire le point

Le lexique

p. 145-154

1 Lisez les poèmes ci-dessous, puis répondez aux questions qui suivent.

1 Ponctuation

– Ce n'est pas pour me vanter,
Disait la virgule,
Mais, sans mon jeu de pendule,
Les mots, tels des somnambules,
5 Ne feraient que se heurter.

– C'est possible, dit le point.
Mais je règne, moi,
Et les grandes majuscules
Se moquent toutes de toi
10 Et de ta queue minuscule.

– Ne soyez pas ridicules,
Dit le point-virgule.
On vous voit moins que la trace
De fourmis sur une glace.
15 Cessez vos conciliabules
Ou, tous deux, je vous remplace !

Maurice CARÊME, «Le cahier», *Au clair de lune*.

2 La rage du peintre

Son modèle ne cessant de bouger,
Depuis les orteils jusqu'aux sourcils,
Le peintre, exaspéré,
Exprime vivement sa furie.

En aboyant contre son modèle, 5
L'artiste ne mâche pas ses mots.
Et il continue de plus belle
En s'attaquant à son tableau.

« Cessez de vous énerver de la sorte,
Lui lance alors son voisin. 10
Peignez donc des natures mortes
Et vous serez beaucoup plus serein. »

Marie Sylvie LEGAULT

2 Surlignez les mots qui appartiennent au champ lexical :

a) du mot *texte* dans le poème 1 ;

b) du mot *peinture* dans le poème 2.

LEXIQUE

3 a) Donnez un sentiment qui se dégage de chacun des poèmes.

- Poème 1 :
- Poème 2 :

b) Dans chacun des poèmes, soulignez quatre mots qui appartiennent au champ lexical de ces sentiments.

4 Donnez la définition des mots ci-dessous et indiquez leur sens à l'aide d'un crochet.

	DÉFINITION DES MOTS	SENS	
		PROPRE	FIGURÉ
POÈME 1			
se heurter (ligne 5)			
conciliabules (ligne 15)			
POÈME 2			
furie (ligne 4)			
aboyant (ligne 5)			

5 Relevez deux mots qui ont une relation de :

a) synonyme / antonyme dans la 2e strophe du poème 1 :

b) spécifique / générique dans le poème 2 :

6 a) Dans le poème 1, encerclez un mot qui appartient à la famille du mot *virgule*.

b) Nommez le procédé utilisé pour le former.

TEXTE *EXPRESS*

p. 130-131, 132-134

Dans le cadre de la *Semaine des arts et de la culture*, les élèves sont invités à échanger sur des œuvres culturelles québécoises. Pour participer, vous devez présenter une œuvre artistique que vous connaissez.

■ ■ ■

Préparez un commentaire critique sur une œuvre de votre choix, par exemple : un livre, une chanson, une peinture, un spectacle, un film, etc. Rédigez un texte d'environ 100 mots afin de donner votre appréciation de cette œuvre. Joignez à votre texte un document en lien avec cette œuvre, comme un extrait, une photo ou une affiche.

■ ■ ■

1 Créez d'abord un champ lexical sur le thème de l'œuvre que vous avez choisie. Utilisez ensuite ces mots pour rédiger votre texte. Une fois votre texte terminé, soulignez les mots que vous avez retenus.

2 Dans votre texte, remplacez les répétitions maladroites par des mots synonymes, des mots génériques ou des mots spécifiques. Surlignez ces mots.